# A HISTORY
### OF THE WORLD
### THROUGH
# BODY PARTS

The Stories Behind the Organs,
Appendages, Digits, and the Like
Attached to (or Detached from)
Famous Bodies

# 人体
# ヒストリア

その「体」が
歴史を変えた

著
**キャスリン・ペトラス**
**ロス・ペトラス**

訳
**向井和美**

日経ナショナル ジオグラフィック

## 本書を構成する人体の部位

# 図解：人体の部位

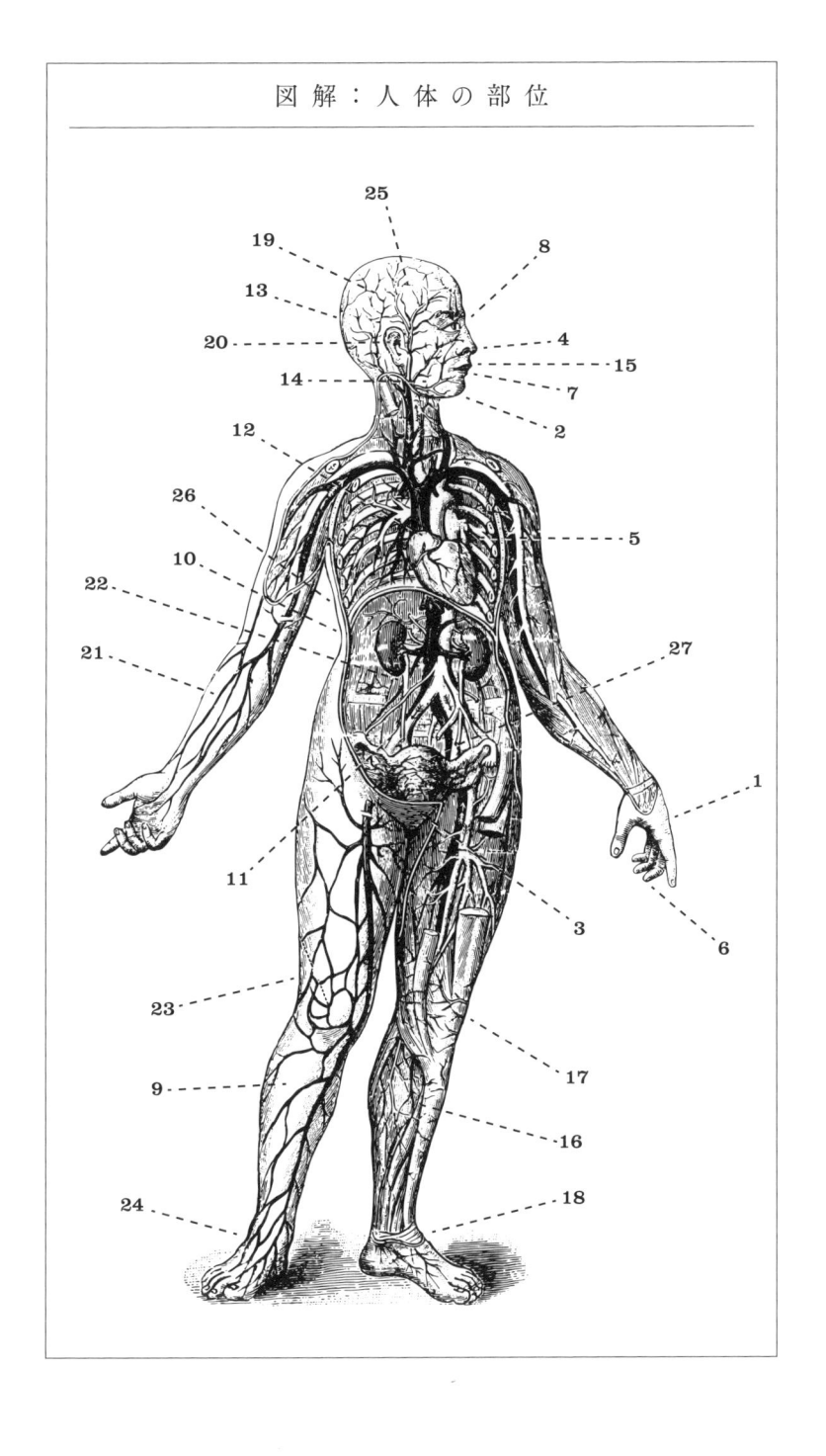

A HISTORY OF THE WORLD THROUGH BODY PARTS

First published in English by Chronicle Books LLC, San Francisco, California.
Japanese translation rights arranged with CHRONICLE BOOKS LLC through
Japan UNI Agency, Inc., Tokyo

# はじめに

CONTENTS

CONTENTS

CONTENTS

※本文中の［ ］は訳注を表す

本書中には現在では差別的とされる表現が一部用いられていますが、
描かれる時代や事柄の状況をふまえ、原書の意に沿って翻訳しています。

はじめに

# INTRODUCTION

DIAG. Cleopatra's nose in situ.

書のアイデアは、ある有名な鼻から思いついた。それは
クレオパトラの鼻で、より詳しく言えば、ヒントになっ
たのは数学者ブレーズ・パスカルの有名なこの言葉だっ
た。

---

　もしクレオパトラの鼻がもっと低かったら、世界の様相はすっか
り変わっていただろう。

---

　パスカルが鼻に焦点を当てたやりかたは哲学的である。つまり彼から
見れば、クレオパトラの鼻など、ある意味ではささいなことだが、いっ
ぽうで世界の歴史にとってはとてつもなく大きな意味がある、というこ
とだ。彼女の鼻はローマのユリウス・カエサルやマルクス・アントニウ
スを魅了し、そのふたりを通して、西洋でもっとも偉大な強国に多大な
影響を与えた。パスカルの言葉はバタフライ効果に結びつき、鼻の高さ
という一見小さなことがのちの世界の歴史にとっていかに重要か、そう
した議論を数かぎりなく生み出してきた。
　ただ、わたしたちの関心はそれよりずっと実際的なところにあった。
のちに世界の歴史を変える偶然性などはどうでもいい。その鼻自体はど

うだったのか。第一、クレオパトラの有名な鼻は実際にそれほど高くて魅力的だったのか。第二に、もしそうだったとしても、パスカルはどうやってそれを知ったのか。第三に、その鼻はなぜカエサルやアントニウスを魅了したのか。とくに、どこででも美容整形手術ができる現代人からすれば、これはなんというか、文化の違いのように思える。いったいローマの人たちは鼻についてどう考えていたのだろう。そして鼻がなぜそれほど重要だったのか。そもそも、ほんとうに重要だったのだろうか。

　少し調べていくうち、わたしたちは体の部位に魅了され、それらが全般的に歴史のなかで果たしてきた役割や、その存在が社会をどう反映しているかに強い関心を抱きはじめた。要するに、言い伝えではカエサルやアントニウスが目を留めたように、体のどれかひとつの部分に注目すれば、そこから多くのことを学べるとわかったのである。こうして、わたしたちは歴史の断片ひとつひとつ（体の部分ひとつひとつ）を追うことにした。すると、クレオパトラの鼻を皮切りに、次から次へと心惹かれる部位と出合うことになった。たとえば、有名な頭蓋骨から悪名高い足まで、あるいは、人目を引く胸から古い人物の腸まで。そして、とても重要なことに気づいた。歴史について読んだり考えたりするとき、多くの人が見逃しているものがある。それは人間の体だ。言うまでもなく、体はだれもが持っているし、歴史上の人物もみな持っていた。それなのに、わたしたちはなぜ体を無視してしまうことが多いのだろう。

　本書では、さまざまな体の部位を取り上げていく。歴史上の人物の有名な、あるいは悪名高い特定の部位、またはある時代の文化や思想にまつわる一般的な部位。それらを「旧石器時代の手」から「宇宙時代の膀胱」まで、時系列で見ていく。また、こんな疑問も取り上げる。昔の人たちは自分の体をどう感じていたのか。自分の体をどう扱っていたのか。彼らは歴史上どんな役割を果たしたのか。特定の体の部位に目を向ければ、彼らの生活や文化をもっと理解できるのではないか。

　ひとつの部位に焦点を当てることで、それがイデオロギーや思想についての新たな、そして驚くべき洞察につながることがわかった。たとえば、レーニンのカビの生えた皮膚や遺体防腐処理のやりかたに目を向ければ、ソビエト共産主義というものが、ひとつの「近代的」政治経済システムとしてよりも、むしろ中世の宗教に近いものとして（とくに死後

のレーニンは教科書の聖人のように）見えてくる。また、古代エジプト
の支配者ハトシェプスト女王の顎ひげや、ベトナムの国民的ヒロイン、
趙氏貞の胸を通して、わたしたちは家父長制の力や、優秀な女性ですら
経験せざるを得なかった苦闘を目の当たりにする。つまり、体の小さな
パーツが人間の全体像を見せてくれるのだ。

　好むと好まざるとにかかわらず、わたしたちはみな、すばらしくも問
題のある肉体を持った存在だ。よく働くと思いきや、部分的にしか働か
なかったりまったく働かなかったりする部位をだれもが持ち、それらが
わたしたちの生活や思考になんらかの役割を果たしている。場合によっ
ては、実際に思考の方向性を決めているかもしれない。ただし、因果関
係を証明するのは難しいが。もし中世イスラムの征服者、ティムールの
脚が両方ともきちんと機能していたら、あんなにも恐ろしい人物になっ
ていただろうか。それは推測するしかない。もしマルティン・ルターの
腸が問題なく動いていたら、宗教改革は起きただろうか。それはわから
ない。けれども、ルターは何度となく慢性便秘をほのめかしているし、
有名な「95カ条の論題」を思いついた場所は、ラテン語で下水溝を意味
する「cloaca」のなかだったと認めており、これは遠回しにトイレを指
すと考えられている。

　実際のところ、わたしたちの体には、知ってのとおり不快な面や、め
ったに話題にされない部分がある。だからこそ体の歴史は実に興味深い
し、なんとも人間くさい。いぼ、腸、鼻、なにもかもだ。過去の人たちの
体からは学ぶものが多いというのに、これまでずいぶん見過ごされてき
た。体の部位に光を当てることにより、わたしたち著者はだれも思いつ
かなかったやりかたで、歴史を真に人間らしいものにし、過去の人物た
ちを生き返らせたいと考えた。たとえばマルティン・ルターと腸につい
ていろいろと調べていくうちに、絵画や銅版画のルターがたいてい苦虫
を嚙みつぶしたような表情をしているのも、確たる証拠はないものの、
なるほどそういう事情だったかと思えてきたのだ。

　そう、わたしたちには確信がある。これから語るひとつひとつの体の
部位は、それぞれの時代をより広く見るための出発点なのである。

# I

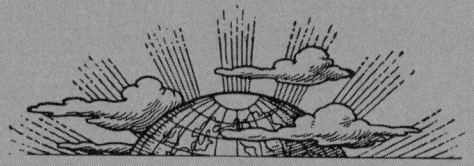

旧石器時代の女性の手

# PALEOLITHIC
# PYRENEAN

---

# WOMAN'S
# HANDS

## AND THE DIGITAL REVOLUTION IN CAVE ART

—— OR ——

## THE FINE ART OF HAND STENCILING

世界最古の洞窟アート、
「手形ステンシル」はなぜ生まれたか

紀元前 5 万年〜紀元前 1 万年

———————————

**世**界で最初の芸術とはなんだろう。「手」ではないだろうか。たとえば、手形ステンシルというのは、手の輪郭を赤や黒で型抜きしたものだ。これは 4 万年以上前に始まった「身体芸術」である。先史時代の奇妙な手形ステンシルは、アルゼンチンからサハラ砂漠まで、さまざまな岩壁で、とりわけ洞窟の奥深くの壁で発見されてきた。おそらく人類最初の芸術作品であり、人間が初めて環境と対話しながら、岩を実用的な道具以外に利用した例ではないだろうか。実際、これは立派な芸術のひとつで、「手形アート」として何万年も続いており、印象派やポップアートよりもはるかに長い歴史がある。では、この「手」はいったいわたしたちになにを伝えようとしているのだろう。

　まずは 2 万 8000 年ほどさかのぼって、フランスのピレネー山脈にあるガルガスの石灰岩洞窟の奥深くへ足を踏み入れ、「洞窟人」とおぼしき芸術家のそばで、そのやりかた（われわれが考えるやりかた）を見てみよう。同行するのは 5 人で、若い女性 1 人、若い男性 1 人、10 代が 2 人、7 歳が 1 人。当時、洞窟の奥深くへの冒険は、たいてい家族のようにさまざまな年代が交じって行われていた。ほとんど真っ暗闇のなか、裸足で数百メートル歩いていく。あたりはほぼ完全な静寂に包まれ、ときおり鍾乳石から水の滴る音だけが聞こえる。粘土岩の狭くて低い通

路を、何度か身をかがめながら通り抜けると、開けたギャラリーへと出た。ひとりが明かりを掲げる。これは樹脂を含んだ松の枝を束ねて作られたもので、照明の役目をまずまず果たしてくれる。すると、あらわれたのは200ほどもの手形で、どれも赤か黒で輪郭が型抜きされている。さながら、洞窟の壁に咲いた奇異でシュールなお花畑のようだ。手の輪郭のおよそ半分は、指のどこかの部分がまるで切り落とされたかのごとく不気味に欠けている。いよいよ、同行の若い女性（手形はほとんどが女性のものだ）が、片手を上げて洞窟の壁に当てる。そして本人かだれかほかの人が、赤い顔料（粉末をその場で唾や水と混ぜたものか、熊の脂肪とあらかじめ混ぜたもの）を口に含み、指と指のあいだを狙って吹きつける。すると、できあがり！　3万年後のフランス人が言う「手形ステンシル」の完成だ。

　これまで人類学者を悩ませてきたのは、その動機である。なぜわざわざ洞窟の奥まで数百メートルも歩いていって、手形を作るのか。ひとつの考えかたは「道案内説」で、手形ステンシルは、洞窟の奥へ入っていく人たちへの道案内か標識として使われたのではないかという。つまり、注意、止まれ、左へという具合に。しかし、それでは彼らがそもそもなぜ洞窟に入ろうとしたのかを説明できない。より総合的な説は、ステンシルと洞窟への冒険を組み合わせたものだ。つまり、洞窟は深い地下世界への入り口で、手形ステンシルはシャーマン的な方法で霊界に触れたり、霊界に入って恩恵を受けたりするためのものであり、洞窟の壁は母なる地球をあらわしている。ほかには、シンプルな「わたしはここにいる説」というのもある。つまり、手形ステンシルは、落書きか芸術かはともかく、いわば洞窟のバンクシーが腕前を見せようとした作品なのだ。

　興味深いことに、手形ステンシルは旧石器時代から現在にいたるまで、複合的な社会が発展していく5万年のあいだ、オーストラリア先住民のあいだでずっと続いてきたようだ。20世紀の研究者のなかには、古くからあるこの芸術が現代ではどんな意味を持つのか、実際に作っている人物に尋ねた人もいる。その結果、思いがけないことがわかった。アボリジニの人たちは、親族の手形を見分けられるというのだ。手形ステンシルは文字どおり「個人の記録」であり、ひとりひとりの署名であ

り、そこに宗教的な工夫を加えることも多かった。ある研究者はこんなことを言っている。

---

　北西部の先住民は、部族の死者たちの魂が、近しい人から悼まれるのを望むと信じている。そのため、彼らは死者を埋葬した洞窟を訪れるたびに、それを記録する。壁に手の痕跡をつけることで、訪問した証拠を残すのだ。部族の人たちはだれもが、見事なほど正確に、ひとつひとつの手形を見分けることができる。(Basedow 1935)

---

　それほど微妙な違いを見分けられるのも、狩猟に慣れた暮らしであれば驚くにあたらないが、わたしたちにとっては想像しがたい。50人分の手形を区別できるかどうか、試してみればわかる。もしかしたら、先史時代の手形ステンシルは、所有者をあらわすしるしでもあったかもしれない。また、オーストラリアの研究者たちは、指が「切り落とされ」たり、薄れたりしている手形が、ガルガスを含むいくつかの洞窟で見つかった理由も発見した。初期のフランス人研究者たちは、手形ステンシルを作った女性が、実際に（かなり妙だが）指が欠けていたのだろうと考えていた。しかし、オーストラリアの研究者は、そうでないことを示してみせたのだ。指を曲げたままにして壁に当てると、ステンシルはまるで（実際は違うが）指が欠けているように仕上がり、指を曲げた手のしるしとなる。アボリジニは伝統として、合図のための身振りが豊富だった。たとえば、獲物を追う狩人にとって、役に立つのは沈黙のやりとりである。おそらく先史時代の人びとも、洞窟の飢えたライオンに気づかれないよう指で合図していたに違いない。

　かなりの確信を持っていえることがひとつある。手形ステンシルは、人間のコミュニケーション芸術としては、ほかのほぼすべての形態よりも早く登場したということだ。最古の手形ステンシルは約4万5000年前のもので、作ったのはおそらくわたしたちに馴染みのある人類ではない。われらがいとこでありながら、不当にも過小評価されている、眉の突き出たネアンデルタール人だ（ちなみに、脳の容量は実のところわたしたちより1割大きかった）。「高度な洞窟芸術」の時代──馬や鹿やホラアナグマを題材に、先史時代の美しい絵が描かれた──が訪れるの

は、それからずっとあとのことである。

　だから、ゆうに１万年以上のあいだ、芸術の対象はほぼ手だけだった。ただし、その形態は手形ステンシルだけではない。さほど派手ではないが、いわゆる指模様アート（洞窟の粘土壁に指で線の模様をつけたもの）、あるいは手や掌や親指の形を写し取ったアートもある。もうひとつ、アートによく登場する水玉模様も、手形などのステンシルの装飾に使われることが多かった。それにしても、なぜ手なのか。

　手は人間の象徴のようなものだ。精巧な道具を作り、周囲にあるものを使いこなし、ホラアナグマやライオンなどの天敵を打ち倒す。人間の脳は手と連動して進化したと考えられている。手を使ったジェスチャーは、脳の進化を後押しする。もしかしたら、まずは手の動きが人間の認知能力とコミュニケーション能力を活性化させ、そのあと複雑な言語を操れるようになったのかもしれない。脳のかなりの部分が手と関係している。つまり、手をうまく操るには、脳をそうとう使うということだ。

　特殊アートというものを考えたとき、手形ステンシルやハンドプリントは、自分で作り出せるアートとして、そしてリアルできわめて人間的な表現として、もっとも簡単な方法のひとつだ。こうしたアートによって人びとは、敵の多い環境に立ち向かう手段ができたように感じた。

　その後、人間が馬を描けるようになるまでには、はるかに長く、およそ１万年以上がかかった。

　最後に、スピリチュアルな面からいえば、前述のように、手形ステンシルは人間が霊界と交信するための方法だったとも考えられる。有史以来、宗教と芸術は結びついてきた。したがって、おそらく手形ステンシルは最初の芸術だっただけでなく、最初の宗教芸術でもあったに違いない。というのも、古代エジプトの墓に丹念に描かれたイシスのような人型の女神や、ルネッサンス芸術で描かれたイエスとマリアよりもはるかに時代が古く、原始的だからだ。

　ともあれ、芸術はどこかの時点で始まるものだ。結局、理由がなんであれ、手形ステンシルは、ある研究者が言うように「人間の体をかたどった芸術としては最古」であり、人類最初の自画像であることは間違いない。

# 手形ステンシルの古さは
# なぜわかるのか

　制作年代を知るために、科学者は通常、ウラン系列年代測定法やウラン-トリウム法を使って年代測定をする。その作品を覆う鉱物含有率を分析するのだ。洞窟は湿っていることが多いので、長年にわたり水や水に溶けた鉱物（炭酸塩や方解石、微量の放射性ウランやトリウム）が壁や天井からステンシルに滴り落ちて、残留物が形成される。その間、この残留物のなかのウランは歳月とともにトリウムへと変化していく。科学者は残留物のサンプルを採取して、ウランとトリウムの比率を分析し、年代を推測する。つまり、作品を覆うもっとも浅い層にトリウムの量が多ければ、より年代が古いということだ。もちろん、ここには厄介な問題もある。鉱物は剥がれ落ちやすく、化学反応が起きる場合もあるし、また測定の科学的手順もさまざまだ。しかし、いくつか改良を加えれば、かなり正確に年代を測定することができる。2018年には、インドネシアのボルネオ島にある洞窟のステンシルが、もっとも古く見積もって5万1800年前のものだと測定された。これは世界最古の記録だ。人間はこんなにも昔から、手形ステンシルを作ってきたのである。

# 洞窟芸術についての補足

　ややこしいことに、最近、インドネシアのスマトラ島で発見された洞窟壁画、といっても手ではなく動物らしき絵なのだが、年代は（おそらく）前代未聞の5万年前だ。これを描いたのは、世界最初の現代アーティストということになる。

# ちょっと2万8000年前へ

　この章で紹介した架空の洞窟探検は、事実にもとづいて、そして洞窟に入っていった人間に関する調査報告をいくつか組み合わせて書いた。1つ目はイタリアのバースラ洞窟で行われた調査で、5人の人間が地下を数百メートル歩いた痕跡が見つかっている。科学者たちは洞窟の粘土層に残された足や膝の跡、指や手の形を分析することで、年齢や性別を割り出した。2つ目の調査は別の洞窟で行われたもので、こちらはスペインだ。科学者が手の置かれた角度や、手と指の比率を細かく測定した結果、手形のほとんどは女性のもので、そのほとんどは左手で、肩の高さでステンシルを行っていることがわかった。実際に作業をしたのはほかのだれかで、おそらく中空のチューブを使って赤（黄土）か黒（酸化マンガン）の顔料を吹きつけたと思われる。なかが空洞の骨が見つかり、内側に顔料が付着していたので、これは信憑性がある。顔料は酸化鉄とマンガンを混ぜ、動物性油脂で溶いたものらしい。3つ目の調査はフランスのピレネー山脈のガルガス洞窟で行われたもので、ここは変形した手形が見つかったことで有名。そしてこの洞窟こそ、2万8000年前のある日、われらが5人組が足を踏み入れた場所である。

# 2

ハトシェプスト女王の顎ひげ

# QUEEN HATSHEPSUT'S BEARD

## AND MONUMENTAL MASCULINITY

— OR —

### THE PECULIAR DIFFICULTIES OF BEING A FEMALE RULER IN ANCIENT TIMES

「堂々たる男らしさ」を装い、
古代エジプトを統治した女傑

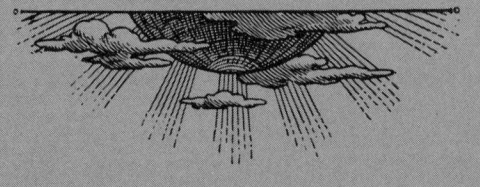

紀元前1478年〜紀元前1458年ごろ

**古**代エジプトの神聖文字、ヒエログリフを最初に読み解いたジャン゠フランソワ・シャンポリオンは、デル・エル゠バハリにある列柱を配した古代エジプト遺跡を訪れたとき、少し意外なものを見つけた。顎ひげのレディーだ。

碑文を読んでわたしはさらに驚いた。ファラオのいでたちをして顎ひげを蓄えたこの王を指すときには、名詞も動詞も女性形なのだ。まるで女王であるかのように。その妙な言及のしかたは、あちこちに見つかった……

男の服装をしながら女として言及されているこの王は、エジプト第18王朝のファラオであるハトシェプストで、紀元前1478年ごろ王位に就き、顎ひげを蓄えた。顎ひげを生やしているのは、ただの気まぐれではない。ファラオの顎ひげは古代エジプトでは絶対的な権力の象徴なのだ。ひげを蓄えることで、彼女は、ふつうなら男性の体に与えられるべき政治的権力と正統性を示してみせた。

ご想像のとおり、ハトシェプストのひげは偽物だ。おそらく、ヤギの毛に金属を絡めて、金色の顎紐（あごひも）にくっつけ、両側につないだ紐を耳にかけて固定していたのだろう。しかし、それは本人が女性だったからでは

ない。男性ファラオでも、絵に描かれるときや儀式の際は付けひげを着けていた。

　顔に毛を蓄えることは、古代エジプト文明の絶頂期では無作法とされた。エジプト人はファラオも含め、毎日きれいにひげを剃っていた。墓や寺院の絵画のなかで顎ひげを生やしているのは（ファラオの付けひげは除く）、捕虜となった敵だけだ。日常的にひげを剃るという習慣には例外もあるが、身分のあるエジプト人男性はたいてい、さっぱりとした顔をしている。司祭たちはさらに上を行って完全脱毛をめざし、体じゅうの毛も剃っていたようだ。毛を剃らなかったのは、ごく貧しい人たちだけだった。

　ではなぜファラオは付けひげを着けるのだろう。たしかな理由はだれにもわからないが、顎ひげは神々、とくに死から蘇った偉大なオシリスと関係があった。冥界の主であり、死者の裁判官であったオシリスは、つねに顎ひげを生やした姿で描かれていた。しかも、それはふつうの顎ひげではなく、付けひげのように見える。作り物の顎ひげは、この世の統治者と永遠なる統治者である神とのつながりを強調し、ファラオもまた神聖な存在であることを誇示するものだ。となれば、ハトシェプストがそれまでの男性たちに倣って紐でひげを着けることにしたのも不思議ではない。しかも彼女の場合、神聖な統治者としての立場を、男たち以上に宣伝する必要があった。

　ハトシェプストには子宮もあったし、生物学的な女性の特徴もあったが、ファラオとして重要な（そして唯一絶対の）職務要件を満たしていた。つまり、ファラオであるトトメス１世の子だったのだ。彼が亡くなったあと、ハトシェプストはトトメス１世の息子、トトメス２世と結婚した。ただし想像に反して、この息子はハトシェプストの実の兄弟ではなく異母兄弟である。しかし、彼はファラオとしてそれほど優秀ではなかった。実際、背後で国を動かしていたのはハトシェプストだったと考えられている。彼が亡くなると、王位は夫が別の妻に産ませた息子に渡り、彼はトトメス３世に担ぎ上げられた。けれどもまだ２歳だったので、ハトシェプストが摂政女王に指名され、表面上の共同統治者となった。わずか２歳の子どもに国を治められるはずもなく、またしてもハトシェプストが采配を振ったのである。

しかし、摂政女王として7年務めたあと、彼女は真の権力と本格的な
ファラオの役割を望むようになった。そして正式な称号と義務を引き受
け、みずからの統治が合法的であることを知らしめるため、血統を強調
した。有能な政治工作員がするように、父親がほんとうに後継者として
指名したかったのは彼女の異母兄弟／夫ではなく、自分だったとだれも
がわかるようにしたのである。

　そして、いかにも経験豊富な政治家らしく、さらに一歩推し進めて、
いわば古代版のイメージ戦略に乗り出した。女から男になったファラオ
として自分をアピールしたのである。「男性」版ハトシェプストは、摂政
女王から本物のファラオに変わるとともに進化していった。治世の初め
のころにみられたのは、ちょっとした男っぽさだけだった。彫像には女
性らしい特徴がみられるものの、頭巾や例の付けひげといった男らしい
装飾品も身につけている。その後、彫像は中性的になる。ハトシェプス
トの葬祭殿、「百万年の神殿」にあった石灰岩でできた実物大の彫像は、
男性によくみられるような上半身裸で、胸もわずかな女性的特徴しかな
いが、肩幅は細く、顔立ちは繊細で、ひげはない。これは、以前から明確
に区別されてきた男性像と女性像のどちらからもほど遠いものだ。

　そして変化は続き、男らしさがさらにはっきりしてくる。ためしに後
期の彫像をひとつ見てみると、本格的な男性になっている。肩幅は広く、
胸に女性らしさはなく、胸筋はたくましく、顔立ちは男っぽく、ファラ
オらしいたっぷりとした顎ひげも備えている。墓の壁に描かれた肌の色
も変化していった。伝統的な女性の色である黄色から、黄色と赤の混じ
った色、そしてエジプトの男性に使われた濃い赤へと変わったのだ。お
そらく、男性はアフリカの陽射しのもとで戦い、狩りをし、魚を釣って
いたからだろう。

　表向きの顔として、ハトシェプストには男性的なイメージがあったも
のの、男性のように見せたのはおそらく典型的な政治的戦略であって、
彼女自身の性自認の問題ではなかった。プライベートでは自分をずっと
女性として認識していたし、神殿の碑文には女性代名詞を使わせ、伝統
的なファラオの称号もいくつか女性名詞に変えようとしたほどだ。もし
かしたら、彼女の権力に反感を抱いた女嫌いの男たちから身を守るため
か、強い力を持つテーベの女神ウセレトとコブラの女神ウアジェト、宇

宙の秩序の女神マアトをも利用した。これは王権を維持するための彼女自身の信念、「攻撃は最大の防御」（とくに嫉妬深い男に対して）を体現したものであり、見事に功を奏した。どの記録を見ても、彼女はファラオとして多くの功績を残している。エジプトの貿易を推し進め、数多くの建築プロジェクト（彼女の存在が初めて近代世界に知られるようになった、有名な「百万年の神殿」もそのひとつ）を監督した。男女を問わず、彼女はもっとも成功したファラオのひとりと一般的に考えられている。

　興味深い証拠がある。ハトシェプストは野望を抱き、娘のネフェルウラーを王位に就かせて、自身の家系を継がせ、女性ファラオの血統を永続させようとしたというのだ。しかし、これは失敗した。事実、彼女以外の女性が統治者（そして女神）になるのは、それから1200年ほどあとのことだ。その女性、アルシノエ2世は、弟のプトレマイオス2世と結婚し（権威を家族内で維持した）、共同統治者として王位を継いだ——ただし、顎ひげは着けなかった（彼女の場合、エジプト人というより、ギリシャ・マケドニア人の血を多く受けついでいるので、顎ひげは馴染まなかったのだ）。

# ミイラの大臼歯

　多くのファラオがそうであるように、ハトシェプストの墓にもミイラはなかった。それなら、どこにあったのか。1903年、エジプト考古学者ハワード・カーター（ツタンカーメン王の墓を発見したことで有名）は、KV60（王家の谷の墓60）と呼ばれる墓を発見し、そこに女性のミイラ2体を見つけた。ひとつは碑銘にシトレインとあり、ハトシェプストの乳母であることが判明したが、もうひとつはだれのものかわからなかった。それからずいぶんたった2007年のこと、考古学者たちがそのミイラを調べていたとき、歯が1本欠けていることに気づいた。たいしたことではないが、ただ重要な事実がひとつあった。ハトシェプストの葬祭殿に近い別の墓で、ハトシェプスト王の名が刻まれたカノプス——ミイラを作るときに遺体の内臓を収めた箱——が発見されていたのだ。箱のなかには、腐食した大きな肝臓と、大臼歯が1本入っており、その歯が身元不明のミイラにほぼぴったりと収まったのである。ということは、そのミイラはハトシェプストだったのか？　これまでのところ、DNA鑑定では、血縁のあるトトメス王朝のほかのミイラと決定的な一致はみられていない。ただ、もし彼女のミイラだったとすれば、その体は両性具有という理想化した彫像の姿とはかなり違っている。CTスキャンの結果、ミイラは肥満型の女性で、年齢は45歳から60歳、歯が悪く、2型糖尿病だった可能性が高いとわかった。悲しいことに癌も患っていたらしく、これは伝統的な軟膏をふんだんに使ったことが原因と考えられている。乾燥肌を潤す効果はあったのだろうが、思いがけない副作用もあったというわけだ。

# 3

## 最高神ゼウスのペニス

# ZEUS'S PENIS

## AND ANCIENT GREEK AESTHETICS AND PHILOSOPHY THROUGH GENITALIA

—————— OR ——————

...SMALL IS BETTER

性器から見る古代ギリシャの美学と哲学、
「小さいことはいいことだ」

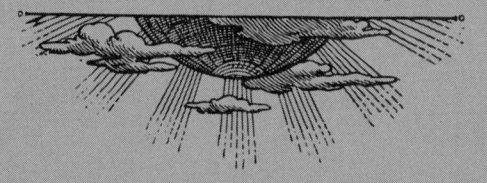

紀元前510年〜紀元前323年

**有**名な古代ギリシャの彫像、たとえば最高神ゼウスをかたどった「アルテミシオンのブロンズ像」を見ると、あきらかに目立つ、というか実際は、あきらかに目立た・な・いあるものに気づく。ゼウスのペニスである。ペニスが……小さいのだ。といっても、萎（しお）れた状態のことではない。

ゼウスだけではない。ギリシャの英雄や神々の彫像はほぼすべて、ピリッとした小ぶりのペニスを備えている。人も羨む男性とはどういうものか。古代ギリシャの考えかたは現代のアメリカとはまったく違う。喜劇作家のアリストパネスが、理想的な男らしさについて、『雲』のなかでこんなセリフを言わせていることからもよくわかる。

---

　もしわたしの進言どおりに鍛錬を重ねれば、必ずや、つややかな胸と、血色のいい肌、広い肩幅、ごく小さな舌、大きな尻、小さいペニスになれる。しかし、今どきのやりかたに従うなら、青白い肌、狭い肩幅、貧相な胸、大きな舌、小さな尻、大きなペニスになり、長ったらしい議案しか書けなくなるだろう。

---

　そう、アリストパネスもほかのギリシャ人たちも、「小さいペニス」こそ、完全な男性にふさわしいと信じていたのだ。模範的男性は、日焼け

し、適度な筋肉のある引き締まった体と、穏やかで思慮深い心を持っている。その理想をひとことで言いあらわしたのが古代ギリシャ語の「ソープロシュネー（節度）」、つまりは穏健さである。

　節度は古代ギリシャのいたるところにみられた。つまり、演劇でも哲学でも日常生活でも、男性は節制に努めることを求められていたのだ（女性は情欲に満ち、劣った存在で、基本的に家にいるものとされたため、問題にもならなかった）。古代ギリシャ人にとって、膨張した大きなペニスは、ともかく節度という概念にそぐわなかったのであり、文字どおりであれ比喩的であれ、ともかく過剰なのだ。古代ギリシャの彫像には、節制を尽くした理想の姿が体現されている。そこには目に余るほどの筋肉も、過度の膨らみも存在しない。

　小さなペニスは、別の意味でも節度をあらわしていた。美的にも哲学的にも大きなペニスは好ましくないし、勃起したものも同様。これらは制御不能で無分別なセックスの象徴であり、節度からはほど遠い。ただし、芸術には大きいペニスや勃起したペニス、またはその両方が収まるべき場所もある。「イチファリック（直立したペニスの）彫像」と呼ばれるもので、これは博物館学芸員の控えめな専門用語だ。こうした彫像は今も博物館の保管庫にしまい込まれていることが多い。事実、1960年代まで、大英博物館ではそれらをすべて「秘蔵庫」つまり卑猥な作品を収める秘密の収蔵庫に隠し、無垢な観客の目に触れないようにしていた。彫像に巨大なペニスがあるのはたいてい奇怪な姿をした神々で、たとえばヤギ脚のパンや、こびとのプリアーポス（その名から取られたのが、ずっと勃起している病気、持続勃起症）などだ。まさにそこが重要な点である。つまり、「大きなペニスの神々」は人間の理想像からかけ離れ、だれもが敬意を抱く「小さなペニスの神々」からほど遠いということなのだ。

　そして、ここにはもうひとつ副次的な意味がある。男性の特権に関する一種のダブルスタンダードだ。いっぽうには表向きに小ぶりで上品なペニスがあり、もういっぽうには、個人で楽しむエロチックな芸術作品として、はち切れんばかりに臨戦態勢のペニスがある。男たちは両方の世界のいいとこ取りをするのだ。公共の場では節度ある小さなペニス、そしてプライベートでは猛々しい雄牛のようなペニス。

それにしても、なぜペニスにヒエラルキーがあるのだろう。現代では、理想のペニスにこだわっている人などまず見当たらない。もちろん、ポルノではサイズが問題になるし、上品そうな官能小説ですら、（ある程度まで）大きいほうがいいという考えかたは一般的にあるものの、ペニスを大きくする広告や、「オレのいちもつを見てくれ」と卑猥な画像を送りつける輩を除けば、日常生活ではさほど関わりを持たないし、美的な意味ではなおさらだ。対照的に、古代ギリシャ人の頭のなかにはつねにペニスのことがあった。最高のペニスとはどんなものかとしきりに考えていたし、わけても、たっぷりとした包皮は賞賛された。ギリシャの看護師は産着を使って赤ん坊の包皮を伸ばし、楽しげに陰嚢の形を整えた。割礼なんてとんでもない。割礼を施されるのは奴隷だけで、巨大なペニスをしたその姿は、花瓶に描かれることも多かった。割礼は喜劇のなかでは膝を叩いて笑う対象であり、とりわけ悩みの種として描かれた。

　もしかしたら、これほどペニスが関心事であった理由のひとつは、いたるところで目についたからかもしれない。ごくふつうのギリシャ人男性は、生まれたときから、文字どおり大量のペニスに囲まれて育つ。少年時代は「体育館（gymnasion）」で裸になって体を鍛える（gymnos は古代ギリシャ語で「裸」という意味で、動詞 gymansion は「裸で運動する」という意味）。街を歩けば、神々の裸像や、性器の描かれた競技スターたちが、神殿や市場など公共の場所にあらわれる。街角ではいたるところでヘルマと呼ばれる石柱像に出くわす。柱の上部にヘルメスの頭部が彫刻され、胴体に見立てた当該部分にペニスと陰嚢が彫刻されている（現代人にはなんとも奇妙に見えるし、近ごろではあまりお目にかからない。理由のひとつは、ペニスが付いた石柱の下部は、美術の教科書ではカットされることが多いため、いかめしい顔の部分しか見えないせいだ）。ギリシャ人が通りすぎる公共の建物には、英雄や神々や戦士が装飾として彫り込まれ、その姿はまたしても生殖器のあらわな裸体である。家に帰れば、ワインを飲むカップには、愛し合う裸の男たちが描かれている（興味深いことに、ギリシャの花瓶には異性愛者同士の性交や大きく勃起したペニスの絵が描かれていることが多い）。演劇を観れば、俳優たちは厚い赤革で作った男根を衣装に付けている。ふだんは垂れ下がっているものの、いざとなると……とっておきの勃起した男根が使われ

る。そして祭りの日ともなると、人びとが巨大な男根像を担いで行進しなければ、祭礼の行列は完成しない。

　このように、古代ギリシャでは、とりわけ神々の彫像を見ればわかるが、男性器に関してあきらかに騒ぎすぎている。では、女性器のほうはどうなのだろう。女神の彫像はどうなっているのか。これがギリシャ芸術の不可思議なところだ。次回、美術館に行ったら古代ギリシャの女神像のほうをよく見てほしい。小さいどころか、まったくなにもないことに気づくはずだ。古代ギリシャの女性像には、生殖器がまるきり見当たらないのである。膨らんだ陰唇も、骨盤の丸みも、バギナも、性やセックスをほのめかすようなものはいっさいない。いったいなぜ？　これは、小さなペニスという理想が女性嫌い（ギリシャ語！）に結びついたからだと考える学者が多い。男性は衝動をコントロールするものとされていたが、女性のほうは性に見境がないとみられていたため、その機会さえ封じられてしまったのだ——少なくとも彫像では。

# 文学における
（古典的）ペニスの問題

　アリストパネスの作品には、ペニスなど性に関わるものがよく登場するため、お堅いビクトリア朝英語やアメリカ英語への翻訳者は頭を抱えた。1878年の有名な戯曲『女の平和』では、「peos」つまり男性器／男根は控えめに「愛の喜び」と言い換えられた。そのほか、問題となる箇所はあっさり削除された。

# 古代彫像を科学する

　古代ギリシャの彫像は、ただの目測ではなく、計算によって作り出されている。小指の第１関節は、バランスを決めるための基本単位だ。それを２の平方根で拡大し、指の長さ、そして腕の長さを決めていく。そしてそこからほかの部分をすべて割り出し、小さなペニスの典型的サイズを算出するのだ。また、小さなペニスには科学的な背景もあった。西洋科学の父といわれるアリストテレスが『動物発生論』のなかで、大きなペニスは男性不妊と関係があると述べており、ギリシャ人男性はだれもそんなそしりを受けたくはなかったのだ。

# ソーセージとドアノブ……
# 古代ギリシャのペニス

　古代ギリシャ人たちはかくもペニスにこだわり、魅了されてきたとはいえ、神聖視していたわけではない。現代のわたしたちと同じように、卑猥な隠語を使っていたし、その多くはお馴染みのものである。たとえば、ソーセージ、肉、ロープ、柔らかい角、パール、ウナギ、ドアノブ、あれ、指、シャフト、ヤギ、尖端、馬、雄羊、雄牛、犬。「ビーム・マン」はペニスの大きな男のことで、「マッシュルーム」は勃起したペニスを指す。「peos」は「男性器」「男根」という意味だ。ていねいな言いかたなら、「phallos」「posthe」（男の子のかわいらしいペニスを指す愛情のこもった言いかた）「sathe」などがある。

# 例外は不名誉のしるし

　ペニス考古学の分野では最近、ある例外が発見された。正真正銘の英雄が、勃起した大きなペニスの持ち主だったのだ。これは紀元前8世紀の小さなブロンズ像（古代ギリシャ史のかなり初期）で、半神話的なトロイ戦争を戦ったギリシャの英雄、アイアースの現存する最古の像である。ただ、この像はよくあるアイアースの姿とは違っている。わずか8センチほどの像には、勃起した大きなペニスが付いているのだ。しかも、この彫像そのものが勃起したペニスのように見える。いわばペニスを持ったペニスである。いったいなぜ英雄の男性器が（ギリシャ人にとって）奇怪と思えるほど大きいのか。ひとつの推測はこうだ。この彫像は、アイアースがみずからの剣で死のうとしたときの姿である。彼は亡きアキレウスの鎧をかけて競技に臨んだとき、自分ではなくオデュッセウスに軍配が上がったことに激怒し、自刃に及んだ。しかし、そんなことで怒るのは恥ずべきである。だから、もしかしたらペニスが大きいのは、不名誉のしるしであり、節度を失った男にふさわしいということなのかもしれない。

# 4

クレオパトラの鼻

# Cleopatra's NOSE

## AND WHY SIZE MATTERS

### OR

### Big Noses and Bigger Empires

なぜサイズが問題なのか——
鼻の高さと帝国の大きさの関係

紀元前69年〜紀元前30年

---

**1** 　**7世紀のフランス人哲学者**ブレーズ・パスカル（本人も
平均より鼻が高かった）によれば、鼻のサイズはきわめ
て大きな問題である。だからこそ、有名なこの格言を残
した。「もしクレオパトラの鼻がもっと低かったら、世界
の様相はすっかり変わっていただろう」

　ここから、何世紀にもわたる哲学的探求が始まり、歴史上の真相追究
に乗り出した人も少なくなかった。彼らが突きとめようとしたのはこん
なことだ。①クレオパトラの鼻がもっと低かったら、この世界はほんと
うに変わっていたのか。②彼女の鼻は実際そんなに高かったのか。

　最初の疑問に答えるために、少し歴史をおさらいしよう。クレオパト
ラ7世（前69〜前30）はエジプトの女王だった。当時は共和制ローマ
が帝政に移り変わろうとするときで、他国を征服すべく虎視眈々と狙っ
ていた時期である。クレオパトラは、ローマの独裁官ユリウス・カエサ
ル（クレオパトラに魅了され、子を産ませたとされる）の外交援助を受
けて、弟から王位を奪った。ところが、その勢力に脅威を感じたローマ
人によってカエサルが暗殺されると、クレオパトラはみずからの王位と
エジプトの独立を守れるのか、不安になった。そこで彼女はカエサルの
部下のひとりで、地位を狙っていた男性を誘惑しようと（そして同盟を
結ぼうと）した。しかし、選ぶ相手を間違え、マルクス・アントニウス

と結婚してしまった。ふたりは最終的に、カエサルの甥オクタウィアヌス（のちのアウグストゥス皇帝）率いる派閥に敗北する。クレオパトラはふたたび、ローマの指導者誘惑作戦に出たようだが、オクタウィアヌスはなびかなかった。彼のエジプト征服は完了し、クレオパトラにはやんわりと自害を勧めたとされる。

　クレオパトラの場合、こうした政治的野心の重要な鍵となったのが、パスカルに言わせれば鼻だった。たまたまだが、ローマの指導者たちは、先端の尖った誇らしげな、いわゆるワシ鼻が多く、これもたまたま、高い鼻は支配者にふさわしいという都合のよい考えを思いついた。パスカルの理論を考えてみよう。もしクレオパトラが高くてすてきな鼻をしていなければ、鼻の高いローマ人権力者、ユリウス・カエサルやマルクス・アントニウスを魅了することはなく、したがってローマ帝国も、そして西洋世界全体もすっかり変わっていたことになる。

　この考えかたは、現代で言うカオス理論やバタフライ効果で、要するに、ほんの小さな出来事やもの（たとえば鼻）が引き金となり、のちのち、とてつもなく大きな変化を起こす可能性がある、ということだ。こうした哲学的考えかたに沿って、現代科学の論文が無数に生まれた。タイトルはたとえば、『クレオパトラの鼻と、ランダム多孔質媒体における流動モデリングへの図式的アプローチ』。こうした論文が示しているのは、ごくわずかな揺らぎが、はるかに大きな揺れにつながるということだ。

　ふたつ目の疑問──クレオパトラの鼻はどれほど高かったのか、さらには、そもそもほんとうに高かったのか──のほうは、答えるのがずっと難しい。おもな問題はなんといっても、クレオパトラがかなり若い時期に、エジプトをローマに奪われたことだ。敗者は歴史書を残さないことが多いし、彼らの肖像画や彫像や硬貨は破壊されたり、展示されなかったりする傾向がある。クレオパトラの彫像は、解釈する人によるが、ひとつかふたつ、あるいは20あるともされている。問題は、どの彫像にもわかりやすい「クレオパトラ7世」が刻まれていないため、多くの憶測が存在するということだ。現在、バチカンにある大理石の頭部が唯一、ほぼ全員の学者によって、間違いなくクレオパトラだと認められている。メロン形におだんごを付けた髪型に王冠をかぶったものだ。とはい

え、鼻がどうだったかとなると、情報が足りない。古代彫刻の多くがそうなのだが、突き出た鼻は欠落してしまったからだ。クレオパトラかどうか疑わしいほかの彫像も、多くは鼻が欠けている。

　なんとか鼻の問題を解き明かそうと、学者たちは、発見されていたわずかな硬貨に目を向けた。そのなかに、彼女が治めるアレクサンドリアで鋳造されたブロンズの硬貨がひとつあり、これはかなり決定的と思われた。ある学者によれば、その顔立ちは「まばゆいばかり」で、鼻は高くてかなり大きいように見えるという。その後、クレオパトラとマルクス・アントニウスが裏表となる硬貨が作られたが、こちらはさほど美人ではない。鼻は同じように高いが、首も顔の造作もかなり太めだ。性的にも情感的にもローマのエリートたちを魅了した女性というより、むしろ肉体的なマルクス・アントニウスと同等の相手、あるいは古代版WWE（ワールド・レスリング・エンターテイメント）の強力な挑戦者のように見える。

　となると、また新たな問題が生じる。はたしてクレオパトラ自身が変わったのか、それとも肖像が変わったのか。彼女が小柄だったのはたしかなので（カーペットにくるまれてこっそりカエサルのもとに届けられたことがあったほど）、考えられるのは、クレオパトラ自身が政治的思惑によって、アントニウスに匹敵する肖像に変えたのではないかということだ。それによって、強大なローマにふさわしい人物だと知らしめたのではないだろうか（実際、彼女のほうが一段上だ。ふたりを裏表に配した硬貨の何枚かは、クレオパトラが表側で、アントニウスは裏側である）。

　描きかたの変化といえば、「クレオパトラはどんな容貌だったのか」というさんざんし尽くされた議論にもまだ別の見かたはある。クレオパトラは民族的に完全に、あるいはほぼ完全にギリシャ人だったものの（彼女の母方の祖母については諸説ある）、エジプトの女王として神聖な存在、神とみられていた。エジプトのよき神がそうであるように、彼女も神殿を建て、その壁には伝統的なエジプト衣装を着た自身の彫像を飾っている。そしてそのどれもが同じように、エジプト人ふうの低い鼻なのだ。

　では、クレオパトラの鼻は実際のところは高かったのだろうか。おそらく、そうだろう。像からわかるかぎり、大きいが細めでわずかに曲が

った鼻で、ローマ人の理想的なワシ鼻にきわめて近い。ただし、クレオパトラはおそらく、状況に応じて鼻の部分を足したり削ったりしていた。伝統的なエジプトの肖像画の場合は小さくし、マルクス・アントニウスとともに命をかけてオクタウィアヌスと戦ったときは鼻（と首）を大きくしたのだ。

　それは知的な指導者ならではのやりかたであり、クレオパトラも——どんな鼻であれ——たしかにそうだった。9つの言語（アラム語、古代エジプト語、ギリシャ語、ラテン語を含む）を操り、エジプトの統治者でありながら、皮膚科学の論文も書いていたらしい。となると、もしかしたらパスカルは間違っていたのではないかと思えてくる。鼻がそれほど高くなかったとしても、クレオパトラはいずれにせよ、世界を変えていたのではないかと。

# カエサルの
# バーコードヘアと
# クレオパトラの毛生え薬

　ユリウス・カエサルはローマの独裁官で絶対的権力者であり、（紀元前44年3月15日に権力と命を失うまで）すべてを持っていたが、髪の毛だけはじゅうぶんではなかった。生え際が後退していくことを、本人はとても気にしていた。政敵から何度もからかわれていたらしく、そのため現代の指導者にもいるように、彼も特徴的でかなり痛々しいバーコードヘアにしていた。しかし、それも無駄な抵抗だった。ローマの貴族出身でもあるこの人物はかなり禿げており、最近フランスで発見された彫像は、敵が噂していたとおりの状態だった。まぎれもなく後退した生え際は、薄毛を丹念になでつけたくらいでは、なんのごまかしにもならなかったのだ。ここから、こんな推測が生まれる。もしかしたら、クレオパトラはこの愛人に、毛生え薬を進呈したのではないか。一部の学者からは疑問も出ているものの、クレオパトラは『コスメティカ』を書いたと言われている。これは美容についてのみならず、初期の皮膚科学を扱った論文だ。のちのローマ人医師ガレノスによると、彼女の毛生え薬は、ロゲイン［男性用育毛剤］とはかなり違っている。「薄毛の人には最適。すばらしい治療法である。燃やしたネズミ、燃やした蔓草、燃やした馬の歯、葦の皮。これらの材料を乾燥させて砕き、たっぷりのハチミツとよく馴染むまでかき混ぜる。次に、熊の脂と鹿の骨髄を（溶かして）混ぜる。こうしてできた薬を真鍮製の容器に入れ、禿げた部分にすり込むと、やがて毛が生えてくる」

# 付け鼻のコレクション

　クレオパトラの彫刻のように古いものの場合、最大の問題は突き出た部分、とりわけ鼻が歳月とともに壊れることだが、それがアクシデントによるものでないことも多い。ノッティンガム大学のアレックス・マレン教授によると、実際、古代では大理石の——さらには人間の——鼻を切り落とすのはさほど珍しくなかったという。エジプトにはリノコルラ（古代ギリシャ語で「切り落とされた鼻」の意）という町まであり、そこには罰として鼻をそぎ落とされた犯罪者たちが送られていた。退位したビザンツ皇帝ユスティニアヌスも鼻をそぎ落とされたし、ティベリウス・カエサルの有名な甥ゲルマニクスの彫像は、どう見ても玄武岩の鼻を切り落とされている。これは、おそらく古代キリスト教徒によるもので、彼らはこの異教徒の額に十字架も刻みつ

けていた。美しさという面からいえば、鼻のない彫像は鼻がきちんと付いている彫像ほど好まれないため、現代にいたる200年ほどのあいだ、美術館のキュレーターや収集家たちは、熱意のあまり彫像に鼻を付け足そうと試みたが、現代の芸術愛好家たちは偽物を嫌い、本物を望んだため、今度は付け足された鼻を彫像から取り除く作業が始まった。コペンハーゲンの有名なニイ・カールスベルグ・グリプトテク美術館には、かなり不気味な展示物がある。コレクションであるギリシャやローマの彫像から、新たに取り除いた鼻（その他さまざまな身体部分）を並べているのだ。もしかしたら、コレクションのどこかに、クレオパトラの高い鼻がまぎれ込んでいるのではないかと思わずにはいられない。

# 5

趙氏貞の乳房

# TRIỆU THỊ TRINH'S BREASTS

AND HOW THE PATRIARCHY
TRIED TO KEEP A GOOD
WOMAN DOWN

—— OR ——

WHAT'S MAYBE MISSING
IN HISTORY BOOKS

胸もあらわに家父長制と闘った
ベトナムのジャンヌ・ダルク

トナム語名でチェウ・ティ・チン、つまり趙氏貞はさまざまな面で有名な女性である。3世紀のベトナムで女性戦士だったこと、中国と戦ったこと、ベトナムのジャンヌ・ダルクになったこと。今日にいたるまで、彼女は国民的ヒロインなのである。しかし、歴史上の体の部位という点から見ると、なんといっても有名なのはその乳房だ。およそ90センチもの長さがあったという。

　中国は長らくベトナムを支配し、呉の時代には交州を統治した一族、士氏にきびしく当たっていた。つまるところ、追放したがっていたのである。紀元226年、呉が総力を挙げて1万人以上のベトナム人を殺害。すると、孤児として兄と暮らしていた趙氏貞は、今こそ反撃のときだと決意した。言い伝えによると、兄からは、そんなことをせずまともな女らしく結婚しろと諭されたものの、彼女は拒否し、こう答えたという。「わたしは敵を撃退し、わが民族を解放したいのです。なぜほかの人たちをまねて頭を下げ、腰をかがめて奴隷のようにならなければいけないのでしょう。よくある女性の定めに身を委ね、頭を下げて性の奴隷になるなどまっぴらです」

　そして、古いしきたりに囚われない趙氏貞は反乱軍の戦士となり、男女交じった1000人ほどの軍隊を率いて、呉との戦いに30回も挑ん

だ。しかし、最終的には敗北を喫し、みずから命を絶った（自分の象に体を踏ませたという説もある）。あるいは、雲のなかに消え去ったとも言われている。

そのような言い伝え——この場合はベトナムの民話——にはほかにもさまざまなものがあり、なかにはちょっと怪しげなものも、そうでないものもある。いわく、中国兵たちは「黄色い長衣を身につけた女大将」より、むしろ虎を相手に戦うほうがましだと語った。いわく、身長は2メートル70センチほどで、1日に500リーグ［約2400キロメートル］も歩けた。いわく、その声は「まるで寺院の鐘のように」大きくてよく響いた。いわく、戦場に突進するときは象に乗り、上半身裸で、両の乳房を前で結ぶか、肩にまわしていた。

多くの学者が言うには、彼女の乳房も、3メートル近い身長も、ほかの驚くべき特徴もすべて、男性優位の儒教からすれば、型にはまらないベトナム人女性たちを管理するひとつの方法だった。中国に支配され儒教が導入されるまで、ベトナム人女性はもっと平等に扱われていた。ところが、中国による支配が始まると、女性は劣ったものとみなされるようになった。では、女性戦士はどう扱えばいいのか。いっそ、その女性をスーパーウーマンで、不死身で、人間というより神に近い存在にしてしまえばいい。そうすれば、ふつうの女性は儒教的な社会規範の枠内にいながら、女性のスーパーヒーローを称えることもできる。

そういうわけで、趙氏貞に関しては、なにが真実なのか決めるのは難しい。何世紀にもわたって口頭で伝えられてきた民話や伝説のほかには史料がないからだ。中国の公式な歴史書には記載がなく（無理もない。中国にすれば彼女は厄介で取るに足りない反逆者にすぎないのだから）、ベトナムの初期の歴史書ふたつに取り上げられているだけで、どちらも彼女の生きていた時代から何世紀もあとに書かれたものだ。15世紀の『大越史記全書』（黎朝の正史）には、「九真郡出身の女性で、名は趙嫗」と述べられている。この名は、彼女が複数持っていた名前のひとつだ。そしてこう続く。「(趙) 嫗は乳房の長さ三尺（一尺は約30センチ）、それを背中で結び、しばしば象に乗って戦に赴いた」。そしてもうひとつ、19世紀に書かれた『交州記』、別名『欽定越史通鑑綱目』には、こんな女性として取り上げられている。「姓は趙で、乳房は三尺あり、結婚を

せず、人民を集めて都市を襲い、たいていは黄色の長衣を身につけ、つま先の曲がった靴を履き、象の頭にまたがって戦い、死んで神となった」

そう、どちらの「公式な」歴史書も、あっさりとだが三尺の乳房に言及する必要を感じていたようだ。三尺もの乳房を肩にまわしている女性となれば、たとえ象に乗っていなくても、見過ごすことはできないだろう。趙氏貞の時代も、これらの歴史書が書かれた時代も、胸を話題にするのは憚（はばか）られていたことを考えれば、彼女の胸が人を惹きつけずにいないのは、大きいからというだけではなく——もっと重要なのは——、公然とさらけ出していたからである。ベトナムでは長いあいだ、胸を人目にさらすことはまずなかった。

中国には纏足（てんそく）の歴史があり（24章を参照）、同じように胸を締めつける束胸の習慣もあったため、その影響がベトナムに及んでいたことは間違いない。中国では小さな胸が美の理想とされ、ベトナムでも同じだった。大きな胸にふさわしいのは小作人、気の荒い女、徳のない女とされた。「育ちがよい」にもかかわらず、気の毒にもともと巨乳だった女性は、失礼にならないよう、目立たないよう、乳房をぎゅっと締めつけて胸を隠した。そうしたのは自分の意思だったり、あるいは最終決定権を持つ夫や父親の意向だったりした（実際、胸を締めつけるのは容易な作業ではなかったため、縛るのは夫が行う場合が多かった）。

しかし、縛ったのはなにも大きい胸ばかりではない。小さい胸もほどほどの胸も締めつけた。というのも、締めつけていない乳房はみだらであり、上流階級の慎み深い女性が見せびらかすものではないからだ。乳房には文字どおりであれ比喩的であれ、身のほどをわきまえてもらう。そうすれば、目につくことはなくなる。また、上品な会話では、胸（vú）という言葉さえ使われなかった（他国でも似たケースはある。イギリスのビクトリア時代、鶏肉（とりにく）の部分を指すのにすら「胸（ブレスト）」は使えなかった）。

ひるがえって、趙氏貞の場合はあきらかに締めつけていない、これ見よがしの乳房である。それがあまりにあからさまだという事実には、いろいろな意味がありそうだ。ひとつには、こうした乳房が上品ぶった女性の振る舞いを否定し、家父長制社会に抵抗するものの象徴だということ。さらには、階級社会に対抗する声明でもありえる。なぜなら、大きな胸を押さえつけていない女性は、上流階級の出身ではなく、平民の出と

みなされるからだ。これは人気のあるヒロインの出自としては珍しい。だから胸自体が革命的なのである。

　しかし学者のなかには、この胸よりさらに過激だったのは、反革命主義者のほうだと考える人もいる。趙氏貞を貶め、忌まわしい獣のような女性だったことを後世の人びとに印象づけたのだから。これは、たとえ人民から崇拝された戦士であっても、ひとりの女性にみずからの立場をわきまえさせようとする戦略だった。もちろん、別の考えかたもある。彼女の特徴として大きな乳房を加えたのは、人間というより超人であり、だからすでに定着した儒教の家父長制を脅かす存在ではないと示すためだ。

　こうした問題は、ひとりの女性の乳房にはあまりにも荷が重い。たとえそれが90センチあったとしても。

# 不名誉な敗北

　趙氏貞については、よく知られた話がまだある。戦場では猛々しかったし、昔ながらの女性観には従うまいとした彼女だが、ただひとつ弱点があった。「うぶな心」を持っていたのだ。そこで、宿敵である陸胤（りくいん）将軍は、少々下品ながらも一気に敵を落とすユニークな戦術を考え出した。次の戦争では、隊員たちにズボンを穿（は）かないよう命じたのである。男たちはわざと土埃（つちぼこり）を舞い上げながら、戦場へと突撃した。下半身は裸で性器が丸見えだった（おそらく本人たちも心地よくはなかっただろうが、なんといっても戦争は地獄なのだ）。戦いには強いが心は純情な趙氏貞は、男たちの性器が迫ってくる様子に仰天した。そして、象を引いて戦場から逃げ出したため、彼女の軍隊は完敗。話によると、趙氏貞はそれでも降伏を望まず、自害したか、あるいは山に姿を消したという。

# 長い乳房にはペニスで対抗

　伝説によると、趙氏貞はみずからの死後も別のやりかたで戦い続けたという。中国軍に災いをもたらしたり、陸胤の夢にあらわれたりしたのだ。そのせいで陸胤は悩まされ、またしても彼女を撃退する方法を考えざるを得なくなった。そして、機知に富んだこの将軍は、木製の彫刻を何百と作らせ、それを野営施設のドアすべてに取りつけた。いったいなんの彫刻かというと、すべてペニスの彫刻だった。といっても、ペニスの彫刻に超自然的な救いの力があると考えていたのは彼だけではない。ペニスは悪運を寄せつけないという考えかたは陸胤以前からあり、とりわけ古代ローマで強かった。これは古代ローマの神ファスキヌスに由来する。ファスキヌスは超自然的なもの——魔術や凶眼——から人間を守ったが、ローマのほかの神々とは様相を異にしている。人間の形ではなく、むしろペニスそのもののように見えるのだ。ただ、ふつうのペニスとは違い、神聖なる男根ファスキヌスには翼がある。古代ローマ人は翼のあるペニスの彫像を作り、この神にちなんでfascina と呼んだ。そして魔除けとして使ったり、家のなかに置いたり、窓に架けたりしていた。（ちょっと「fascinating」豆知識。英語の「fascinate ＝魅了する」はラテン語の「fascinus」あるいは「fascinum」から来ており、ペニスあるいは魔術を意味する）。

# 6

聖人カスバートの爪

# St. Cuthbert's Fingernails

### AND

### HOW THE CATHOLIC CHURCH USED PIECES
### OF SAINTS TO SPREAD THEIR INFLUENCE

### — AND —

### MAKE AN ARM AND A LEG IN THE PROCESS

カトリック教会にとって聖遺物とは、
影響力と大金を得る手段

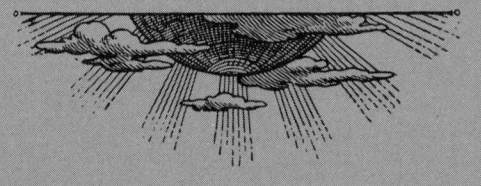

　どの史料を見ても、7世紀の修道士、聖カスバートは爪の手入れをしてもらいたがるような人物ではなかった。しかし、まさにそれが行われていた。しかも、本人の死後何世紀もたってから。

　生前、カスバートは修道士、修道院の院長、司教の地位を歴任し、よい働きをしたことで知られていたが、やがて静かな生活を望むようになり、隠遁者として死ぬまで過ごした。死後はイングランド北部でもっとも人気のある聖人となり、「イングランドの奇跡を起こす人」と呼ばれた。それは、彼に祈りを捧げた人びとに起きた奇跡や、とりわけ石棺に起きた奇跡のことを指している。そして、8世紀の歴史家ベーダが記しているように、カスバートの遺体も同じように奇跡的だった。687年にカスバートが亡くなり、その11年後、棺の蓋を開けてみると、遺体は「腐敗していなかった」し、まるでついさっき亡くなったようだったという。そう、多くの聖人と同じで、カスバートは死んではいるものの、俗人のように完全に死んだ状態ではなかったのだ。

　そのため、ダラムの教会に安置されながら、爪も髪の毛も伸び続けたという。現代の記述によると、11世紀のダラムの聖具保管係アルフレッド・ウエストウがカスバートの爪や髪の手入れを担当し、爪を切ったり髪の毛を揃えたりしていた。そうして聖人を喜ばせるのはいいことだっ

た。というのも、彼の墓は巡礼者たちに人気の立ち寄り場所であり、聖人の気分がよければ、信者のために計らってやろうという気持ちにもなるだろうから。ただし、ここにはもうひとつ大きな利点があった。切った爪や髪の毛は、ほかの教会や信者が聖遺物として使えるよう、売ったり譲ったりすることができたのだ。聖遺物はカトリック教会内部では大きなビジネスだったのである。ウエストウ自身も聖カスバートの爪や髪の毛と引き換えに、ほかの聖人の爪や髪の毛などの聖遺物を受け取ることがあった。

11世紀には聖遺物に対する需要が大きかったのだが、それはすでに何世紀も前から始まっていた。8世紀の終わり近く、キリスト教の司教たちが集まった第2回ニカイア公会議で、ある信条が決定した。奉献された祭壇には必ず、ひとつ以上の聖遺物がなければならない、というのだ。たとえば聖人の体の一部、イエス・キリストの生涯に関わるなんらかのもの、あるいはそれと同等のもの。このときから聖遺物の収集熱が始まった。時間がたつにつれ、聖遺物はさらに人気が出て、需要が高まっていき、もはや教会や聖堂に収めておくだけのものではなくなった。外に持ち出され、遠く離れた場所に祝福を届けたり、キリスト教信仰を広めたりするのに使われた。騎士が誓いを立てるときに用いる剣でさえ、柄頭《つか》《がしら》に聖人の小さな遺物が付いていなければならない。聖遺物は人を守り、ちょっとした奇跡を起こすこともあるのだ。

当初、教会は聖なる遺体の一部を切り取ったり、取り出したりすることに前向きではなかった。しかし、ここにはちょっとしたからくりがあった。自然に切り離せるものについては、販売してもかまわないのだ。そこで、カスバートの髪の毛や歯や爪といったものに目をつけ、教会や大聖堂や聖堂にきちんと展示して、訪れる信者たちに崇《あが》めてもらうことにした。やがて、ときとともに聖なる遺体の扱いに関して、教会の基準がどんどん甘くなっていった。おそらくそれは、聖遺物の数が増えれば増えるほど、布教の面でも、そしてもちろん儲《もう》けという面でも利点があったからだろう。

このころ、聖遺物はすでに教会から王族へと広がっていた。その後、一般の人びと――といっても聖遺物を買う余裕のある人たちだ――も手に入れ、個人で使うようになった。その目的は罪の贖《あがな》いであったり、家

庭内の礼拝所や街に巡礼者とお金を吸い寄せることだったりした。

　それからずいぶんたった1563年のトレント公会議で、聖遺物については「あらゆる迷信は排除され、不正利得は廃止すべきである」と決められたものの、司教から一般信者にいたるまで、ほとんどだれも気に留めなかった。聖遺物はすでに大きなビジネスになっていたため、数が増えれば増えるほどみなが愉快になり、裕福になったからである。聖堂を訪れることは、ディズニーランドを訪れるのに似た中世の宗教的行事なので、不正利得は漫然と広がっていった。巡礼者は宿泊所や食べ物や飲み物、そしてもちろん記念品や土産物にもお金を使った。多くのコミュニティーが、近隣のコミュニティーよりも多くの旅行者——とお金——を引き寄せるべく、聖人（幸いにも埋葬された遺体があれば）か、せめて体のごく一部（そのような聖遺物があれば）を手に入れたがるようになると、競争が激化した。やがて、各地では巡礼者だけでなく聖遺物をも奪い合うまでになった。ある教会から聖遺物が姿を消し、別の教会にあらわれることもあったほど。そして、事態はますます悪化していった。なんとかして聖遺物を手に入れようとする人たちがいたため、警備員は聖人の遺体からこっそり一部分を切り取られないよう、見張らなければならなかった（聖人になりそうな年寄りが殺されないよう警護したとさえ言われている）。

　聖遺物がだれのものか不明になったり、ほかの人物のものと間違えられたりする問題は歴史上つねにあった。DNA鑑定などできない以上、ひとつの骨や遺体の一部が、実際にその聖人本人のものだと断定するのは難しい。結局のところ、鎖骨も顎骨も脛骨も、ほかの人のものと見分けがつかない。この骨がほんとうにその人物のものだと、いったいだれにわかるのか。コンスタンティノープルの神学者で大司教だったヨハネス・クリュソストモスにいたっては、「公式の」頭蓋骨が1つではなく4つもある。1つはギリシャ、もう1つはロシア、2つはイタリアに。1204年、十字軍は彼の頭蓋骨などの聖遺物をコンスタンティノープルからローマに持ち去ろうとした。しかし、その途中で本物の頭蓋骨はどこかにまぎれたか、あるいは数が増えでもしたのだろう。複数の教会が、うちの聖遺物こそ本物だと主張するはめになった。

　聖遺物への熱狂は時代とともに移り変わる。14世紀には作家のボッカ

ッチョやチョーサーが風刺の対象にしていたし、16世紀にはすでに聖遺物や「聖遺物もどき」があふれかえっていたため、宗教改革家のジャン・カルバンはこんなふうに嘆いた。聖十字架 [キリスト磔刑に使われたもの] とされるもののかけらを集めれば、そうとう大きな船が作れそうだ、と。

聖カスバートの場合、存在した遺体はひとつしかなく、それは聖人らしく朽ちない遺体だった。というか、そう信じられていたのだ。イギリス宗教改革が国じゅうを席巻すると、ダラムの大聖堂は略奪され、聖カスバートの墓が暴かれた。ところが、墓に遺体はなかった。どうやら修道士たちが隠しておいたようだ。聖カスバートの遺体は長らく行方不明だったが、1827年に大聖堂内の秘密の墓で発見された。それは以前の、生きているかのような遺体ではなく、ふつうの人間らしい腐敗した遺体だった。その人物がいったいだれなのか、はっきりとはわからなかったが、ダラム大聖堂では聖カスバートと認め、巡礼者や崇拝者は今もこの「奇跡を起こす人」を訪ねてくる。

宗教的には、中世の時代ほど価値を置かれてはいないものの、聖遺物は現在でも多くの聖堂や教会で、巡礼者や崇拝者のために展示されている。そして現在でも購入できるのだが、ここには21世紀のスタイルがはっきりとあらわれている。もはや聖遺物を求めて巡礼に出る必要はないのだ。グーグル検索で「聖遺物　販売」と打ち込めば「マグダラのマリアの聖遺物をeBayで——本物　なんでも揃っています」などという案内があらわれる [eBay（イーベイ）は世界最大のインターネットオークションサイト]。なるほど、そのようだ。サイトではいろいろな聖遺物を扱っており、マグダラのマリアの遺物、聖アルフォンソ・デ・リゴリの骨のかけらから、殉教者たちの上質な聖遺物のあれこれまで、なんでもある（リストにはどれも、新品と誤解されないよう、親切にも中古品であることが記されている）。

# なんとしても聖遺物を手に入れる

　どんなことをしてでも聖遺物（体のどの部分であれ）を手に入れようとした人たちもいる。なかでも有名な聖遺物ビジネス起業家は、ポルトガルのドーニャ・イザベラ・ド・カロンだ。1554年、彼女はゴア［インド西部の州。当時、ポルトガルの植民地だった］まで聖フランシスコ・ザビエルの遺体を見に行った。このとき、遺体は大聖堂で拝観できる状態だった。彼女は聖人の足にうやうやしく身をかがめてキスをする……かと思いきや、右足の小指と薬指を噛みちぎったのである。そしてポルトガルへ逃げて帰り、自分の家の礼拝堂に祀った。こうして巡礼者から拝観料を巻き上げることにしたのだ。この指はゴアがインドに返還されるまで、長いあいだ争いの原因だったが、彼女の死後ようやく1本のみフランシスコ・ザビエルの遺体に戻された。

# 7

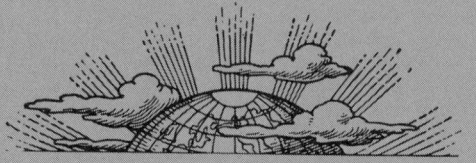

## ショーク王妃の舌

# LADY XOC'S TONGUE

### AND THE POLITICS OF BODY PIERCING

— OR —

#### How Bloodletting Kept Civilization Alive

ボディーピアスのマヤ流政治学——
流血の儀式はいかに文明を維持したか

## 700年ごろ

**今**から1300年以上前、メキシコのチアパスのジャングルにある寺院の奥まった暗い部屋で、マヤ文明の都市ヤシュチランの王妃カバル・ショークが大量の流血と痛みを伴う儀式を行っていた。

夫である「血の王」つまりヤシュチランの王が、燃える松明（たいまつ）を手に見守るなか、王妃ショークはアカエイの背骨と思われる道具ですばやく舌に穴を開け、結び目に黒曜石の破片を連ねた紐をそこに通した。彼らマヤ人は決して遊びでやっているわけではない。少しでも多くの血を欲しているのであり、その点、舌は舌動脈から血をたっぷり得られるため、もってこいなのだ。ショーク王妃の舌からみるみる血があふれだし、頬の装飾を汚しながら顔を伝い、籠（かご）のなかの紙にポトポトと滴り落ちた。血に染まったその紙はすぐさま燃やして神々に捧げられ、その間、ショーク王妃はトランス状態に入ってビジョンサーペントの幻影を目の当たりにする。この儀式によって、彼女は民に幸福をもたらすのである。

この儀式のことが記されているのは、ショーク王妃のかつての儀式殿で、墓とも考えられている場所にある、大理石のリンテル［王の姿や碑文の刻まれたまぐさ石］だ。その場所は、チアパス州にあるウスマシンタ川沿いの、彼らが治めていた都市ヤシュチラン。リンテルの記述から儀式の詳細がうかがえる。ショーク王妃が舌に穴を開けた日にち──マヤ暦でい

う5エブ、15マック、つまり西暦709年10月28日──がわかるのは、これも大理石に刻まれていたからだ。ショーク王妃はおそらくマヤ文明でだれより権力のある重要な女性のひとりで、その夫「血の王」（イツァムナーフ・バラム2世あるいは盾ジャガー王）はもっとも重要な王のひとりである。

　マヤの象形文字が解読されるまで、ショーク王妃と盾ジャガー王についてはほとんどなにも知られていなかったし、チャブという瀉血の儀式についてもほぼ知られていなかった。そのため、墓所の壁に刻まれた象形文字がなにを語っているのか、さまざまな憶測が生まれた。実際、多作だけを取り柄とするある作家は1960年代に、似たような儀式の描かれた碑文を数多く調べた結果、どういうわけか、これを宇宙人が地球を訪れた証拠だと結論を下した。この作家は間違っていたのだが（実のところ、彼はほぼどこにでも地球外生命体の痕跡を見てとっていたようだ）、この本は大ベストセラーになった。ところが、1970年代に急進展があり、マヤの複雑な象形文字が解読されると、ショーク王妃の瀉血に関する碑文の研究が進んだ。

　ショーク王妃の儀式殿には多くの部屋と多くのリンテルがあったが、瀉血の儀式に触れているのは、リンテル24号、25号、26号だ（そのうち2つは1800年代後半にイギリス人考古学者アルフレッド・モーズリーが発見し、いつもながらのすばやさで両方とも故国イギリスに持ち帰った。3番目のリンテルはなんとかメキシコに残った）。3つのうち1つ目のリンテル（もっとも写実的）には、舌に穴を開けて瀉血する儀式そのものが描かれている。儀式で傷をつけたのは舌だけではない。男たちはペニスに穴を開けることもあったし、男女を問わず、耳たぶや鼻、唇にも穴を開けた。どう見ても、マヤ人たちは尖鋭恐怖症（先の尖ったものを恐れること）ではなかったようだ。このような慣習は、1500年代にマヤの土地を奪った初期のスペイン人征服者たちを怯えさせることになった。

　とはいえ、スペイン人には流血のための独自のやりかた（もちろん承認された神聖な方法だ）があり、それはスペイン異端審問の際に実行された。「文明的」なその方法とは、たとえば、ラック［巻き上げ機で手足を引っ張る拷問道具］で腕をもぎ取ったり、ペンチで肉を切ったり、ネジで親指を

締めつけたりするものだ。そうしたテクニックはユカタンでの異端審問にも持ち込まれたのではないかという説がある。皮肉なことに、征服者のひとりディエゴ・デ・ランダ司教は、みずから瀉血する現地の儀式について、『ユカタン事物記』のなかで非難がましくこう述べている。

---

　ときに彼らはみずからの血を捧げるべく、耳のあちこちを切って、傷跡をそのまましるしとして残した。また、頬や舌唇に穴を開けることもあった。そして体の一部を切ったり、舌に穴を開けて藁を刺し通したりしたが、これは極度の痛みを伴うものだ。彼らは仲間の肉体の余分な部分を切り落とし、傷跡をしるしとしてそのままにしておいた。この習慣から、インディオの研究者は彼らが割礼も行っていたと言っている。

---

　それにしても、彼らはなぜこんなことを行ったのだろう。その答えの一部は、瀉血儀式の次の段階が記された2番目のリンテル25号にあった。ショーク王妃は血に染まった紙が入ったふたつの籠を抱え、おそらくは強烈な痛みと、失血によるめまいと幻覚を感じながら、蛇とムカデが一体となったビジョンサーペントを見上げる。口を開けたビジョンサーペントは元祖王家の姿を具現化している。その下にはマヤの獰猛な嵐の神チャク。瀉血の儀式は天から授けられたものとして、まさしく政治的正当性に結びついていた。

　こうした側面は、世界のほかの地域にもみられる犠牲の物語とたいして変わらないように思えるが、ここにはそれ以上のものがある。ショーク王妃は神々を見て交信するだけでなく、実際にみずからの血を捧げて、いわば相互贈与を行っていた。そして、確証はないものの、最後のリンテルである26号では、ビジョンを得たショーク王妃が、戦いに出向く夫に力を与えているようにも思える（ちなみに、神から得る力を疑っていた民や敵は、がっかりしたに違いない。というのも、ショーク王妃の血の儀式は、実際、夫に力を与えたからである。夫である「血の王」は戦いに明け暮れ——そして勝利し——80代をかなり過ぎても頻繁に戦い、90代で亡くなるまで王であり続けた。血の威力は絶大だ）。

　それにしても、なぜ血だったのか。これという答えはないが、メソア

メリカ［北米大陸のメキシコ高原・ユカタン半島一帯に存在した古代文明圏の総称］での暮らしは文字どおり血にまみれていた。なかでも、北部を支配していたアステカ人はもっとも有名だが——生け贄の心臓をえぐり出すなどは注目を浴びがちである——、マヤ人も血を生け贄とした点では同じだ。そうしたことを行ったおもな理由は、神々が聖なる血を分けて人間に命を与えてくれたので、ショーク王妃がしたように、人間はお返しとして血を捧げ、宇宙の秩序を維持しなければならないと考えられていたことだ。

　最近の研究では、マヤの瀉血儀式は南部に集中しており、とりわけ、マヤ文明が崩壊しはじめた古典期後期に広く普及したようだ。ある学者はこう言っている。「もしかしたら、彼らは自分たちの世界が崩れようとしているのを察し、周囲の神々と必死に交信しようとしたのではないか」

　あるいは、敵に見せつけていただけかもしれない。どちらにせよ、黒曜石の破片で舌を切り裂くには、そうとうな忍耐力が必要だったろう。

# 書物を燃やした
# スペイン人の罪

　ディエゴ・デ・ランダ司教は、スペインの異端審問をマヤに持ち込んだとき、「効果的な」拷問のやりかたも一緒に持ち込んだ。ただし、伝えられるところによると、瀉血の儀式は絶対に「禁止」であり、むしろ鞭打ちや八つ裂きのほうが一般的だと主張したらしい。これには異説もある。ともあれ、デ・ランダがよく知られているのは、別の蛮行によってである。自分が発見したマヤの書物を、すべて燃やしてしまったのだ。ショーク王妃が瀉血儀式を行った日がわかっているのと同様、デ・ランダが焚書を行った日も正確にわかっている。1562年7月12日だ。デ・ランダはこう記している。「これらの文字［マヤの象形文字］で書かれた多くの書物が見つかったが、そのなかに迷信や悪魔の嘘と思われないものはひとつもなかったため、すべて燃やした。すると、彼ら［マヤ人］は驚くほど悔しがり、ひどく落胆していた」。付け加えるなら、ひどく落胆したのは当時のマヤ人だけでなく、現代の研究者も同じだ。残っているマヤの書物（絵文書）はわずか数点しかない。この魅力的な文明について、もはやじゅうぶんに知ることはかなわないのである。

# アステカの生け贄は……

　ご存じのとおり、中米でもっとも高度な文明の多く——初期のオルメカ、トルテカ、アステカ、マヤ——は、瀉血の儀式を行っていた（西洋でも同じだったが、ローマやギリシャや中近東では、生け贄の肉を焼く方法もあった）。おそらく、今日もっともよく知られているのはアステカだろう。ただし、ひとつはっきりさせておきたい。現代の映画や小説では、よくピラミッドの上で血まみれの生け贄を捧げているが、アステカ人が行ったのはそれだけではないのだ。個人でも瀉血の儀式を行ったのはマヤ人と同じだが、黒曜石のほかに骨やマゲイという植物のトゲを用いていたところは違った。それでも、マヤ人と同じで彼らも血に染まった紙を燃やし、捧げ物とした。

　生け贄として、アステカ人は動物を捧げたほか、よく知られているように人間をも捧げた。驚くべきことに、このやりかたにはある種の自制が働いていた。「花戦争」と呼ばれるタイプの戦争はふつう、生け贄のための捕虜を確保する目的で行われた。そのため、必要な人数を捕らえればすぐ戦争は終わる。この文明ではヨーロッパの「百年戦争」のようなものはないのである。

　さて、捕虜のなかからもっとも勇敢でハンサムな者が選ばれると、

このうえない名誉とばかりにピラミッドの頂上まで連れていかれ、特別な石台に横たえられる。そして、黒曜石か石英石のナイフで胸を切り裂かれ、血まみれの心臓を取り出される。ここにいたればもはや犠牲者にとってはどうでもいいことだろうが、本人の心臓はクアウシカリ（特別な石の器）かチャクモール（仰向けで肘をつき、腰に鉢を抱えている形の石像）に入れられ、焼かれて、神に捧げられる。さもなければ、犠牲者は斬首されたり、手足をもぎ取られたり、皮を剥がされたり、球技をさせられたり（負けたほうは全員殺される）、焼かれたり（そのあと心臓を取り出される）した。あるいは、古代ローマの剣闘士が見世物として戦ったときのように、きわめて不公平なハンディキャップを与えられ、殺された。生け贄のほうは体を縛られ、羽根で飾った棒を持たされる。相手には鋭い黒曜石の剣が渡される。どちらのやりかたもおもしろいほどそっくりだ。アステカと同じように、古代ローマの剣闘競技会にも、あきらかに宗教的起源があった。というのも、古代ローマに先立つエトルリアの人たちは、こうした競技会を葬儀の儀式として始めたからだ。

# 8

アル・マアッリーの目

# AL-MA'ARRI'S eyes

## & A BLIND MAN'S FARSEEING VISION

OR

### MEDIEVAL MODERNITY

視力を失った哲学者の先見性——
中世イスラム世界はいかに進んでいたか

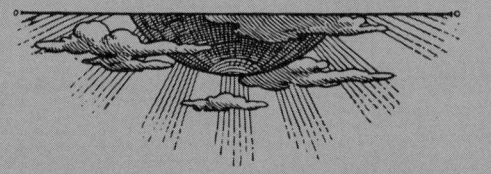

973年〜1057年

**2**013年の春、アルカイダのシリア支部メンバーたちは、長年の夢をかなえた。ある彫像の首を刎ねたのだ。

　この場合、彫像の首を刎ねた行為は、美術犯罪にはまったくあたらない。多くの美術史家によると、この胸像は俗悪すれすれの作品だったという——像の人物はターバンを巻いた盲目の男で、鋭そうなその目にはなにも見えていなかった。この胸像はきわめて理想化されており（アメリカの歴代将軍の彫像を見てもわかる）、それは1944年にこの盲目の男の業績を讃えて作られたものだからである。彼は詩人で、その名はアブー・アル・アラー・アハマド・イブン・アブド・アラー・イブン・スレイマン・アル・タヌーキー・アル・マアッリー。通称アル・マアッリーだ（長い名前のこの部分は、彼の故郷であるシリアのアレッポ近くの街マアッラにちなんでいる。胸像は彼の業績を讃えるべくこの街に置かれていたが、アルカイダのメンバーによって無残な姿になった）。アル・マアッリーはアラブの文学や哲学の歴史上、いい評判も悪い評判もあった人物だ。亡くなってからすでに1000年近くたっている。

　ではなぜ、それほど昔の人物の銅像の首を切り落とすのか。ひとつの理由は——首を切ったアルカイダの人たちにとってはなによりの理由だが——アル・マアッリーは偉大な詩人でありながら、宗教を知ろうとし

ない者、イスラム教の異端者、さらには無神論者とも呼ばれていたことである。ただし、この見かたに異を唱える研究者もいて、オックスフォード大学のD・S・マーゴリュース教授はその代表だ。いずれにせよ、アル・マアッリーが偉大なアラビア文学者のひとりで、アラビア語詩の名手だったことは疑う余地がない。

アル・マアッリーはみずからの成功を、目のおかげだと考えていた。その人生を決定づけたのは幼少のころである。4歳のとき、天然痘に罹(かか)って視力を失ってしまったのだ。彼のもとを訪れた人はこう言っている。「少年のとき彼を襲った病気は、痩せこけた顔に深い痕跡を残していた……その目をのぞき込むと、片方は気味悪く飛び出していて、もう片方は眼窩(がんか)に埋もれていた。ほとんどなにも見えていなかっただろう」

たしかにそれは悲劇だったが、アル・マアッリーはのちにこう言っている。目が見えない代わりに言葉の響きには敏感だし、記憶力もいい、と。感覚をひとつ失っても別の感覚が補完するという考えかたは、中世では重要なことだった。おそらく、きわめて多くの人たちが病気や戦争や事故により、手足や目やそのほかの部分を失ったため、障害に対する考えかたが、ともすれば偏見に陥りがちな現在のわれわれとは違ったのだろう。どの資料を見ても、アル・マアッリーの記憶力は並はずれていたようだ。たとえば、これは真偽が怪しいが、彼は自分が話せもしないアゼルバイジャン語(ほかの話ではペルシャ語)の会話をそっくりそのまま再現したという。ほかにもこんな例がある。小径(こみち)を歩いていたとき、頭上に枝があるので身をかがめるよう教えられた。2年後、同じ小径を通ったとき、彼はぴったり同じ場所でひょいと身をかがめたという(ただ、その必要はなかった。木は切り倒されていたからだ)。こうした記憶力が、なにかを書く際おおいに役立ったのは間違いない。

また、目の不自由さが彼の世界観に影響を与えることもなかった。アル・マアッリーは先見の明ある哲学的詩人であり、のちに中世ヨーロッパでもっともすぐれた詩人となるダンテに先立つ(おそらく実際に影響を与えた)存在である。アル・マアッリーの『赦(ゆる)しの書』は、アラビアにおける詩的宗教喜劇であり、この「宗教喜劇(divine comedy)」がダンテの『神曲(Divine Comedy)』にインスピレーションを与えたと言う人もいる。『火打ち石のひらめき』は彼の作品中もっとも有名になり、

この作品で彼はアラビア伝統詩の大家に祭り上げられた。もうひとつの詩集『肝要ではない重要事』には、きわめて高い彼の詩的能力があらわれている。詩のすべての行で、ひとつのみならずふたつの異なる子音が韻を踏んでいるのだ。ここでも、あの有名な彼の耳が、見えない目に勝る光を放っていた。

彼の詩が多くの注目を集めたのは、その美しさのためだけでなく、内容が型破りだったことにもよる。ある詩のなかで、自分の詩はコーランの言葉に匹敵するものだと豪語している。さらに、この作品（およびほかの作品）のなかの敬虔な言葉の多くがあまりにも大げさなため、彼の詩は敬虔さを巧みに装った異端ともみられていた。とはいえ、それによって当時の啓蒙的なイスラム世界にさえあまた存在した独善的信者たちが、彼に憧れを抱くことはなかった。それでも、アル・マアッリーは悠然としていた。異端者だと非難する人がいても、それは妬みだと一蹴した。彼は異端者として正式に起訴されたことはない。イスラムの裁判官によれば、アル・マアッリーはだれにも信仰心を疑われないやりかたでコーランを朗唱していたという。その後、ある小さな会社が彼の信仰を擁護し、それが近代まで続いた。

多くの人たちは、アル・マアッリーをトーマス・ジェファーソンやベンジャミン・フランクリンと同じ流れの、典型的な理神論者とみている。要するにその立場は、神の啓示を否定あるいは軽視することであり、神とは人生の問題に関わる存在ではなく、非人格的な創造主だと考えることであり、あらゆる宗派主義や排他的真理に強く反対することである。したがって、もしアル・マアッリーが近代に生きていたら、アルカイダのみならず、ジェリー・ファルエル〔20世紀アメリカのキリスト教福音派の牧師で原理主義者〕をも苛立たせていただろうし、なんなら、あらゆる宗教の原理主義者たち全員を怒らせていたに違いない。それでも、おそらく彼はなんとも思わなかっただろう。

アル・マアッリーのように物議をかもす詩人・哲学者が中世という時代に存在したばかりか、もてはやされもしたこと自体（彼は西暦973年から1057年まで生きた）、中世のイスラム圏東部の状況を物語っている。そこでは、知的な議論や多様な解釈や、洗練された討論が歓迎されたし、少なくとも容認されていた。それは目の見えない人が、そのせい

で差別されない文化でもある。アル・マアッリーの時代、大都市は東洋にあり、バグダッドとカイロは世界最大級の都市だった。そこでは言語も法制度も共通だったため、取引コストが抑えられるし、商業は活性化され、都市と都市のあいだをつなぐキャラバンルートを通れば、輸送も（比較的）速く簡単だった。だから、あちこち歩きまわっていた学者たちは、イスラム世界各地の図書館を訪ね、なにかおもしろい思想はないかと探した。その間、西ヨーロッパでは、一見教養がありながら地元から離れない人が多く、関心事といえば、肉付きの悪い豚を冬にどう太らせるかとか、年に1度の風呂には入るべきか、いつ入ればいいか、など凡庸なことばかり。もちろん、アル・マアッリーの死後まもなく、今度は西洋に都市革命と知的ダイナミズムの時代がやってくる。その多くは、イスラム圏東部の思想をもとに築かれたもので、その土台にはギリシャ・ローマの思想があり、さらにその土台となっていたのは、古代エジプトとバビロンだったのである。

# アラブの眼科医

　陽射しが強く、砂交じりの風が吹く中東は、目にとって最適な場所とはいえない。だからこそ、アラブ人は眼科治療のパイオニアとなった。たとえば、イラクのモスル出身の医師アマル・イビン・アリは、（痛そうだが）みずから発明した注射器を角膜に刺し通し、白内障で濁った水晶体を吸い出した。

　しかしアル・マアッリーの場合は、天然痘の合併症で視力を失ったほかの患者たちと同様、この治療も役に立たなかっただろう。天然痘ウイルスは、角膜の広い範囲に潰瘍を引き起こし、穴を開けてしまうことが多いのだ。現代のように抗ウイルス薬やステロイドを早期に使用すれば治っていたかもしれないが、この治療法ができるのは1000年後のことである。

# 元祖ビーガン

　近ごろはオーツミルクや大豆ソーセージが地元のスーパーマーケットでも手に入るようになったが、アル・マアッリーがビーガンになったのは、はるか昔のことだ。それは哲学的な決断だった。彼はすべての命に尊厳があると信じ、肉に限らず、たとえばハチミツを含むあらゆる動物性食品を食べないと決めた。さながら現代の熱心なビーガンだ。そして、いかにもすぐれた詩人らしく、その決意表明を詩にした。

　水が手放した魚を不当に食するな
　屠（ほふ）られた動物の肉を食べ物として欲するな
　白いミルクは母親がわが子に与えようとしたのであって
　裕福なご婦人のためではない
　疑いを知らぬ鳥たちから卵をかすめ取って悲しませるな
　不正は最悪の犯罪なのだから
　香（かぐわ）しい花々から
　ミツバチがせっせと採ってくる蜜は見逃してやれ
　ミツバチは人間のために蓄えているのではないし
　商品や贈り物のために集めているわけでもない
　わたしはこのすべてから足を洗った──願わくは
　白髪になる前におのれのありかたを悟りたいものだ

# 9

ティムール（タメルラン）の脚

# TIMUR'S
## (TAMERLANE'S)
# LEG

**& DISABILITY,
NICKNAMES,
AND CONQUEST**

ハンディをものともしない、
チンギス・ハーンより残忍な征服者

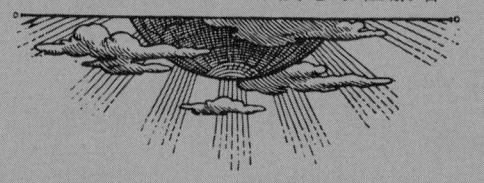

1336年〜1405年

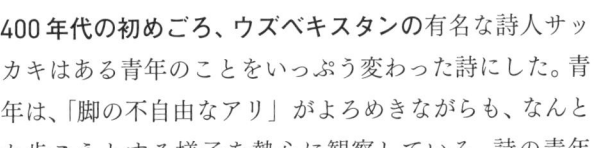

**1**400年代の初めごろ、**ウズベキスタン**の有名な詩人サッカキはある青年のことをいっぷう変わった詩にした。青年は、「脚の不自由なアリ」がよろめきながらも、なんとか歩こうとする様子を熱心に観察している。詩の青年も、偶然ながら右脚に重傷を負っていた。これは、戦いに明け暮れる民族に生まれついた者にとって、深刻な問題である。青年は勇気ある小さなアリに触発され、みずからの障害を乗り超えようと決めた。そして、それを実現した。詩に登場するこの人物はティムールという。世界でもっとも偉大な──そしてもっとも悪名高い──征服者である。

これは、ある男とその運命についてのちょっとしたストーリーだが、もしかしたら事実ではないかもしれない（もうひとつ、遠く離れたスコットランドにも同様に怪しげなストーリーがある。ロバート・ザ・ブルースという王様が、脚の長いクモの粘り強さに励まされる話だ）。ティムールの場合、その人生のストーリーとなると、曖昧で矛盾だらけの史料しか存在しない。

それでも、ティムールが数々の征服を成しとげたことだけはわかっている。彼はイスラム世界の大半をわがものにし、中国を奪取しようともくろみながら死んでいった。その死によって広大な帝国は崩壊しバラバラになったが、彼のレガシーは残った。なかでも、末裔<ruby>末裔<rt>まつえい</rt></ruby>たちはきわめて

知的で芸術的な文化を創造した（そのひとりはタージマハールを建設した）。しかし、ティムールのレガシーには負の側面もある。この偉大なイスラムの征服者の「偉大さ」は、どうやらアレクサンドロス大王やチンギス・ハーンに匹敵するものだったらしく、信じがたいほど残虐で恐ろしい人物だと評判で、あの世まで支配したとも言われたほどである。

ティムールに対する恐怖と嫌悪は、敵だけでなく味方のあいだにも浸透していた（ティムールのもとを訪れたヨーロッパ人の使者によれば、ある召使いは夕食を出すのが遅れたため、あやうく「豚のように」鼻を刺し貫かれるところだったという）。偉大な帝国を建設するため、ティムールは何百万もの人びと──1700万人以上という説もある──を虐殺した。それも残忍かつ独創的な方法を用いて。たとえば生き埋めにしたり、壁のなかに塗り固めたり、胴体でふたつに切断したり、死ぬまで馬に踏みつけさせたり。もちろん、ふつうの斬首や絞首も行っている。中央アジアを進軍していった際は、征服のしるしとして、生首を積み上げた塔を残していったという。

敵であるペルシャ人たちは、当然ながらティムールをひどく嫌悪し、その弱点を嘲った（おそらく安全な距離を取って）。弱点とは不自由な右脚である。ペルシャ人たちは彼のことを「ティムーリ・ラング（びっこのティムール）」と呼び、それがなまってタメルランと呼ばれるようになった。そのほか「鉄の障害者」という呼び名もあり、軽蔑を込めたこれらのあだ名はそのまま歴史に残った。

多くの史料によると、ティムールは見るからに脚を引きずって歩いたらしい。しかしここで、いくぶん曖昧さや矛盾が出てくる。というのも、ティムールは広報の達人だったのだ。自分には超人的な能力があり、残酷さの裏には知恵があり（読み書きはできないながら、知的で文化的な人物だったらしい）、浪費の裏には節制があると印象づけようとしていた。なかでも重要なのは、自分が恵まれない境遇から身を起こし、神秘的な才能を与えられたおかげで、並の人間よりはるかに観察も行動もすぐれた指導者になったというイメージを作り上げたことだ。それを考慮すると、もしかしたらティムールはイメージ戦略のひとつとして、右脚が不自由なことを利用したのではないだろうか。障害を負ったかわいそうな少年が成功を収めた、というように。

もちろん、たしかなことはだれにもわからない。ただ、ティムールが知的で狡猾で冷酷な戦術家であり、イメージが現実を作り出すことをよく知っていたのは事実だ。すでに征服した民衆に残虐行為を働いたのは（ふつうそうした行為は降伏した民衆にではなく、抵抗する相手に行う）、住民全員を屈服させるための戦術とみられている。しかし、ただの気まぐれで残虐行為を行っていたとも考えられるのだ。あるとき、トルコ中部のシワスで、もし住民が降伏するなら血を流させはしないと約束した。そこで彼らは降伏した。すると、ティムールはただちに3000人を生き埋めにした。約束どおり、血を流させず窒息させただけだ。しかしこれも、事実かどうかはわからない。ティムールに関する記述の多くは敵方によって書かれたため、とことん悪く描かれているからだ。彼を支持する人たちでさえ、ティムールが冷酷無比な勝者だというイメージを伝えようとしたし、町いちばんの悪党で、あの恐るべきチンギス・ハーンよりも残忍だと語っている。

　ティムールはチンギス・ハーンとの比較を喜んで受け容れ、もう一歩進めて、自分はかの偉大な指導者の子孫だと言い張ったとも言われる。チンギス・ハーンの後継者なのだから、中央アジアの国々は当然ながら、自分のもとに集結しなければならないのだ、と。彼がめざしたのは（おそらく）チンギス・ハーンが行った支配の正統性を回復することだったのだろう。そうして自分の正統性をも確立すれば、よい宣伝活動にはなるだろうが、いかんせんそれではほぼ完全な作り話である。実際のところ、ティムールは中央アジア、現在のウズベキスタンの下級貴族に生まれ、チンギス・ハーンとは血縁がない。早い時期から征服者となる素質を見せ、地元の王国や汗国〔君主号である「ハン」が統治する国〕を手中に収めた。それ以来、彼を阻むものはなにもなくなった。多民族軍をかぎりなく拡大させ、祖国を囲むトルコ語圏、つまりシリア、トルコ、インドを征服していったのだ。

　もうひとつ巧妙なやりかたとして、新たに領土を獲得しても、伝統的な称号ハンを名乗ることはせず、最高指揮官を意味する「amir」という地味な称号を使った（偶然だが、これは英語の「admiral ＝最高指揮官」の語源である）。ただし、もっと派手な「イスラムの剣」や「サーヒブ・キラーン（幸運なふたつの星が交わるときに生まれた支配者）」を使う

こともあった。真の支配者であることを知らしめ、神聖な印象を与えるためだ。

　ティムールがどういう経緯で脚を負傷したのか、それさえも議論の的になっている。いくつかの史料によれば、若いころ仲間と羊を略奪して撃たれたせいだとされ、別の史料によれば、もっと名誉ある戦闘、つまりペルシャのスィースターンの君主と戦ったときに負傷したせいだとされている。そのふたつの説はティムールの二面性をよくあらわしているため、もしかしたら本人は両方とも気に入ったかもしれない。ここで疑問が湧いてくる。負傷の原因がどうであれ、実際に彼の脚はどれほど不自由だったのだろう。

　その答えがわかったのは1941年のことだ。かつてその前身が中央アジアの大半を支配していたソ連が、1941年、ティムールの埋葬場所とされるサマルカンドのグーリ・アミール廟を調査した。ティムールの遺骸は霊廟の地下室に収められていた。棺には巨大なネフライト——翡翠に似た深緑色の石——が使われており、おそらくこれは世界一大きいネフライトと思われる（後世ペルシャを支配したナーディル・シャーが持ち帰ろうとして半分に割った）。墓の発掘にはソ連の人類学者ミハイル・ミハイロビチ・ゲラシモフがあたり、あきらかにティムールの遺骸と思われるものを発見した。科学者チームは頭蓋骨から沈泥と塩分の結晶を取り除き、わずかな毛髪（赤褐色）と皮膚と脳は袋に入れ、サマルカンド州立医療研究所の解剖学部門に送った。その結果、遺骸は科学的に解体されたものの、伝説が解体されることはなかった。というのも、遺骸にはたしかに負傷の痕がみられたからだ。病理学報告にはこう記されている。「右大腿骨および脛骨に結核性空洞があり、大腿骨と膝蓋骨に骨癒合を伴う。右上腕骨および尺骨には完全な骨性強直がみられる」

　要するに、ティムールは右脚に怪我をして障害を負い、たぶん右腕に硬直があって、指を２本失っていたようだ。おそらくはこわばった腕で、わずかに背中を丸め、脚を引きずって歩いていたのだろう。ペルシャ人は正しかったのである。

# タメルランの呪い

　ティムールの子孫にあたる現代のウズベキスタン人は、敬愛する祖先の墓が、神を信じないソビエト共産主義者の手で発掘されることに不満を抱き、墓にはおぞましい呪いがかかっていると脅す作戦に出たようだ。そして、かの偉大な戦士はこう記していると言った。「わたしの墓を暴く者は3日後に攻撃を受けるだろう」。別の者たちは、こう書かれていると言った。「わが墓を暴く者は、わたしよりも恐ろしい侵略者を解き放つであろう」。その報復がいつ行われるかは記されていないとした。

　なんとも不思議なことに、ソ連の科学者たちが墓を開いた直後、ソ連はナチス・ドイツから攻撃を受けた。呪いはほんとうだったのだろうか。さらにそれを裏打ちするように、数年後、ティムールの遺骸がようやくもとの棺に戻されると、ソ連はスターリングラードでドイツ軍を包囲して打ち破り、初めて大きな戦果を挙げたのである。墓の呪いというこの話はおもしろく、西洋でも数え切れないほど語られてきたが（『デイ・ウォッチ』という映画を観てみればわかる）、現実はそれよりはるかに平凡だ。ナチスは、呪いが示す3日後ではなく2日後に攻撃した（それはまあ屁理屈だが）。呪いが早く効きすぎたことはさておき、現代の研究者によれば、そのような呪いの言葉は実際には墓のどこにも見つからず、ただアラビア語の聖句が書かれていただけだった。

# ティムールが進化させた
# 法医学的復顔術

　ソ連の人類学者ミハイル・ミハイロビチ・ゲラシモフは、ティムールの墓を調査した際、「何世紀も前に死んだ人たちの顔を見てみたい」と思った。そして、これが彼のライフワークとなった。実際、彼は法医学的に顔を復元する技術を確立させている。死後、長い時間がたった人の顔を復元するため、ゲラシモフはまず頭蓋骨を取り外し、その上から蜜蠟と粘土とコロフォニー（松ヤニ）を混ぜたものを塗り、（うまくいけば）実際の人物らしく見える生き生きとした顔を作り上げた。しかし、それは簡単にはいかなかった。顔面の筋肉に関する詳細な知識が必要で、そのうえ鼻腔や眼窩といった広範囲の軟組織を復元する難しい技術も身につけなければならなかったからだ。

　ティムールを大きな足がかりとして、そこからゲラシモフはイワン雷帝をはじめとする200人以上の人物の顔を復元していった。また、頭蓋骨から顔を復元するこの技術は、ロシア皇帝ニコライ2世の家族の遺体を特定する際にも使われた。その技術を受けついだ科学者たちがツタンカーメンの顔を復元し、最近ではイエス・キリストの顔も復元している。

リチャード3世の背中

# RICHARD III's BACK

&

HOW A HISTORICAL PUBLIC-RELATIONS
IMAGE CAMPAIGN—LATER AIDED BY
A CERTAIN BIG-NAME PLAYWRIGHT—
CREATED A VILLAIN

王位争いとネガティブキャンペーン、
そして「かの有名な劇作家」が強めた暴君像

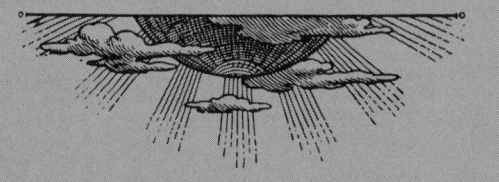

1452年〜1485年

ングランドの王リチャード3世はヨーク朝最後の王とし
て知られている。しかし、彼が体の部位コレクションに
登場するにはそれなりの理由がある。

そう、イングランド王リチャード3世は脊柱後弯症、
つまりあえて差別用語を使えば、せむしだったのである。実際、彼はこ
の疾患を持つ人物として、おそらく一般的には世界で2番目に有名だろ
う。いちばん有名なのは1831年にビクトル・ユゴーが書いた小説『ノ
ートル゠ダム・ド・パリ』の主人公カジモドである。ディズニー映画に
取り上げられたカジモドは、「心やさしきせむし男」としてさらに有名
になった。いっぽうリチャード3世は、ディズニー映画のエリザベス朝
バージョンともいえるシェイクスピア劇に取り上げられた結果、「腹黒
いせむし男」としてさらに評判が悪くなった。

まずは歴史をおさらいしよう。リチャード3世の生涯は、イングラン
ド王位を獲得し維持するための薔薇戦争と密接に結びついている。この
戦いは、プランタジネット家の分家であるヨーク家（始祖はリチャード
の曾祖父）とランカスター家（始祖はヘンリー4世）との内乱だった。
最終的には、リチャードがヨーク公の王位を勝ち取ったものの、それは
かなりあざといやりかただった。というのも、彼は12歳の甥エドワード
の摂政でありながら、甥から王位を奪取（強奪という人もいた）したの

だから。このあたりは歴史が曖昧である。ある説によれば、リチャード
が甥のエドワード（と弟）は庶子だという噂を流し、王位にふさわしく
ないと議会も判断したらしい。リチャードが彼らを殺させたという説も
根強い。しかし、そんな話はすべてナンセンスだという主張もある。た
しかなことはだれにもわからない。しかし、ただひとつわかっているの
は、リチャードが王になるのを気に入らない勢力がいて、対抗相手とな
るヘンリー・チューダー（のちのヘンリー7世）を見つけてきたという
ことだ。王位をかけた争いがふたたび始まった。そして、リチャード3
世は在位わずか2年にして、ボズワースの戦いで殺された。これにより
一連の薔薇戦争が終結し、チューダー王朝が始まって、「せむしの」暴君
という半ば作り物のイメージができあがったのである。

　リチャード3世の死からおよそ100年後の1591年ごろ、ウィリアム・
シェイクスピアは彼を劇中に登場させた。リチャードがあらわれるの
は、『ヘンリー6世』第2部（このなかで彼は「せむしのリチャード」
と呼ばれている）と第3部（彼はみずからの「ゆがんだ体つき」につい
て独白している。片方の腕は「枯れ木のよう」で、「妬みの山」が背中に
あり、両脚は「長さが違う」という）。そして、数年後に書かれたその名
も『リチャード3世』という戯曲によって、極悪のせむし男というイメ
ージが定着し、その人物像は21世紀まで続いてきた。

　意外なことに、『リチャード3世』のなかに「せむし」という言葉は
出てこない。なくてもじゅうぶん真意は伝わってくる。劇を通してその
イメージが膨らむのだ。リチャードは「ぞっとする畸形」「醜い体つき、
失敗作、のろまの豚！」「千鳥足のクモ」と罵られ、「背中にこぶのある
汚いヒキガエル」「背中にこぶのある毒ガエル」と侮辱されている。

　劇のなかで描かれるリチャードは策略家で、野心に駆られて、兄の死
後、甥を殺してまで王位に就いた。しかし、実際にはよい仕事をいくつ
もしたことや、民衆から人気があったことには触れられていない。もち
ろん、シェイクスピアはリチャードのことを、最後の戦いに敗れ、チュ
ーダー家の手で死に追いやられた勇敢な戦士として描いている。しかし
それはあくまでも、よい面に光を当てるときだけなのだ。

　それ以来、リチャードのイメージがもとに戻ることはなかった。とは
いえ、シェイクスピアが描いたように、薔薇戦争の最後の戦いで死ぬま

で彼が立派な戦士だったことも、みな知っていた。とすると、そこには齟齬がある。それもそのはずだ。実のところ、リチャードの腕は枯れ木のようではなかったし、両脚の長さは同じで、脊柱後弯症でさえなかったのである。

　こうしたことがあきらかになったのは、500年前の骸骨があまり高貴でない場所で見つかったときである。その場所とはイングランドのレスターにある駐車場で、かつてグレイフライアーズ修道院だった。ボズワースの戦いに敗れたあと、リチャードの遺体はここに運ばれ埋められた。2012年9月に発掘が行われた際、あきらかに戦闘で亡くなった男の骸骨が出てきた。調査の結果、骨は30歳くらいの人物のもので、死後500年ほど経過しており、決定的だったのは、ミトコンドリアDNAがリチャードの姉アン・オブ・ヨークの母系子孫ふたりと一致したことだった。数カ月後、研究者たちは、合理的疑いの余地なくこれがリチャード3世の遺骸であると発表した。

　結論はこうだ。リチャードはシェイクスピア劇で罵られたような「せむし」ではなかったが、現代の擁護者たちが主張するように、背骨がまっすぐなわけでもなかった。事実はその中間だったのだ。リチャードは背骨の中ほどが湾曲しており、おそらく10代の成長期に起こりがちな青年期特発性脊柱側弯症を患っていたと思われるものの、脊椎は正常で、腕や脚も正常。だから、右肩は左肩よりわずかに高かったが、そのほかはヨーク朝時代の平均的な体つきだった（DNAによると、96%の確率で、実際に金髪で青い目だったらしい）。

　それなら、なぜリチャード3世はこんなにも不正確な描かれかたをしたのだろう。それはチューダー家の存在と、とりわけ効果的だったネガティブキャンペーンのおかげ（のせい）である。チューダー家はヨーク家が長く続いたあと王位に就いたため、民衆から救世主と思われるよう、そしてリチャードのことは怪物として見るように仕向けたのだ。これは古くからある「歴史は勝者が作る」という言葉の、もっとも有名な（そしてもっとも成功した）例のひとつといえる。そのうえ、リチャードはヨーク家最後の王となったため、たとえ勝者によるネガティブキャンペーンがなくても、どのみち悪く思われがちなのだ。リチャードに勝ち目はなかったのである。

チューダー家は新たな王朝が薔薇の（ヨークの薔薇ではなく）香りとともに始まることを望んだ。そして、当時の歴史家や年代記作家もそれに迎合した。そこに「慎み（sub rosa）」などというものはなく、実際、そのやりかたはあからさまだった。たとえば、リチャード3世が王位にあったとき、歴史家ジョン・ラウスは『ラウスの記録』のなかでリチャードを賞賛し、「きわめて上品」で「立派な君主」だと記している。しかし数年後、ヘンリー7世が王位に就くと書きぶりが少し変わる。著書『イングランド国王の歴史』では、リチャードは生まれつき不自然で、「母親の胎内に2年間とどまり、歯が生え、髪が肩まで伸びて生まれてきた」し、「両肩は不均衡で、右が高く左が低かった」と言っている。ほかの歴史家も同調し、とりわけ背中のことを強調するようになった。

　それは、リチャードが脊柱側弯症だったという一時的な事実をもとに、文字どおり作り上げられたイメージだ。戦いで殺されたあと、リチャードの遺体は丸裸にされ、馬の背に乗せられて町じゅうを引きまわされ、曲がった背骨が群衆の目にさらされたという。そこから話が膨らんでいき、背中に大きなこぶがあったことになるまでは、ほんのわずかな飛躍しかない。いわゆるせむしの人たちは当時、虐げられていた。卑しい人間としてみられ、よくても村八分の扱いを受けた。嫌われ者に曲がった背中まで加われば、それだけで確実に否定的なみられかたをしてしまう。

　トマス・モアもまた、リチャードを悪く言う歴史家たちのあとに続いた。1513年から1518年までのあいだに書いた『リチャード3世伝』で、彼はリチャードのことを（どちらの肩が高かったかについては思い違いをしていたようだが）、「背が低く、手足の形が悪く、背中が曲がって」いて、生まれたときに歯が生えていた、と記している（モアがのちにヘンリー8世の枢密院議員を務め、大法官に就任したのはただの偶然だろう）。

　そして、シェイクスピアは（チューダー朝のある強力な女王の時代に）リチャードについてすでに書かれていた「事実」にもとづいて、とりわけトマス・モアの記述にもとづいて話を肉付けしていった。こうして賽は投げられ、こぶは付け加えられ、リチャードは伝説の怪物へと変わってしまったのである。

# シェイクスピアは
# ほかにもこんな中傷を

　シェイクスピアは『マクベス』の主人公にも手を加えている。たしかに、マクベスはスコットランドの将軍で、ダンカンを殺して王位に就いた。しかし、事実と演劇が一致するのはここまでだ。マクベスはなにも野心的な妻にそそのかされて王位への野心を抱いたわけではない。母親の血統を通して、王位の正統性を主張したのだ。いとこのダンカンは周囲からあまり慕われておらず、王にふさわしくないとみられていた。マクベスは戦いでダンカンを討ち取った。だから、罪悪感に苛（さいな）まれはしなかったし、連続殺人を犯すこともなかったし、シェイクスピアが言うように１年ではなく実際は１７年間も国を治めた。

　ではなぜシェイクスピアは、さほど有名でなかったスコットランド王２人のストーリーを変えたのだろう。シェイクスピアは、エリザベス１世が王位にいたあいだはチューダー家を持ち上げたのと同じように、『マクベス』ではジェームズ１世におべっかを使ったのだ。ジェームズ１世はたまたまダンカンの子孫で、王権は神から与えられたと信じていた。シェイクスピアは、ダンカンの王位喪失を不当とすることで、ジェームズの血統にこそ正統な王権があることを強調したのだ。

# 体を揶揄された
# もうひとりの人物

　チューダー朝と関わりのある人物で、死後に中傷されたのはリチャード3世だけではない。チューダー家の王ヘンリー8世の妻アン・ブーリンも、事実をねじ曲げて描かれたのである。書いたのはニコラス・サンダース。彼は学者、歴史家で（これがもっとも重要なのだが）カトリック司祭でもあった。著書『英国分裂の起源と進展』のなかで、彼はこう記している。「アン・ブーリンはかなり背が高く、黒髪で、卵形の顔は黄疸を疑わせるほど黄ばんでいた。上の歯が出っ張っていて、右手には指が6本あった。顎の下に大きなできものがあり、その醜さを隠すため、首が隠れるドレスを着ていた」

　ただし、辛辣すぎると思われないよう、こうも付け加えている。彼女は「人を楽しませるのが得意で、リュートの演奏がすばらしく、ダンスも上手だった」。

マルティン・ルターの腸

# MARTIN LUTHER'S BOWELS

And How—Possibly—a Religious
Revolution Was Spawned in a
Not-So-Spiritual Place

便秘に悩んで宗教改革！
天啓は神聖な場で下りたわけではない

教改革の理論は、その中心人物がトイレでいきんでいるときにひねり出された、などと想像するのはどことなく冒瀆的に思えるのだが、それはまさに事実なのだ——少なくとも、宗教改革の中心的な（そしてたびたび便秘に苦しんでいた）人物、マルティン・ルター本人はそう言っている。

　16世紀の宗教改革は、キリスト教の歴史のなかでももっとも重要で物議をかもす運動のひとつであり、その影響は広い範囲に及んだ。たとえば、西洋のキリスト教徒を二分し、数々の宗教戦争（いまだ一触即発の北アイルランド紛争を含む）を引き起こし、カトリック側からも「対抗宗教改革」が生まれ、キリスト教の救済について新たな考えかたが広がり、個人主義が進み、カトリック教会の権力が弱まり、資本主義が促進され……と挙げていけばきりがない。

　そのすべてが、トイレから始まったというのか？

　まあ議論の余地はあるが、少なくとも部分的にはそうだ。マルティン・ルターは理想に燃え、苦悩する若き修道士だったとき、ドイツのウィッテンベルクで宗教改革に乗り出した。若き修道士ルターがとくに嫌悪したのは、贖宥状［俗に言う免罪符のこと］を売る教会の手法が大成功していたことだ。そのアイデアは実にシンプルで、教会の教えに沿って儲けるやりかただった。つまり、罪人は金を払えば死後の苦しみから逃れ

られるのであり、煉獄で罪が焼き払われて天国に昇っていけるというのだ。信者がすべきことは教会の担当者に一定の代金を支払うだけ。そうすれば、担当者（必ず男性）は証明書（贖宥状）を渡してくれる。そこには信者の名前と、煉獄から逃れられる年数が書き込まれている。罪人を困らせたのは――そしてルターをさらに悩ませたのは――1515年に教会が、これまでの贖宥状の効果を8年間取り消し、新たに買い換えるよう罪人たちに言い渡したことだ。告解も懺悔も必要なく、ただ金を払いさえすれば苦しみから逃れられる。多く支払えば、重い罪でさえ許される。ドミニコ会の修道士ヨハン・テッツェルはルターの地元ウィッテンベルクでこうした贖宥状を熱心に売り歩き、たとえ聖母マリアをレイプしたとしても罪を免れるなら安いものだと吹聴していたという。

　宗教の聖性を考えれば、まったくひどい話だ。ルターはドイツ人が「クロー（klo）」と呼ぶものの上で長時間苦しみながら、贖宥状や教会でのさまざまな違和感について考えをめぐらせた。実際、彼は中世後期における便秘の象徴的存在だった。ルターは手紙で、腹部の差し込み、肛門の痛み、排便時のいきみについて嘆いている。肖像画のこわばった表情を見れば、腸に悩みがあったことはたやすく想像できる。20世紀のフロイト派の精神分析家たちは、何世紀も前のこのプロテスタント主義の創始者と便通との関係を楽しんで分析した（これは見逃せない事実だが、精神分析学の創始者ジークムント・フロイトも便秘に悩んでいた）。彼らは一致した見解として、ルターは神経過敏で、排便の問題は少なくとも部分的には心因性であると言っている。エリク・エリクソンのようなフロイト主義者は、ルターの排便障害が宗教改革の根本原因である、とまで言っている。要するに、便秘に憤り苦悶した男は、カトリックの権威に対抗することで救いを見いだしたというのだ。となると、もし現代のような便秘薬があったら、宗教改革はどうなっていたかと思わずにはいられない。しかし、それはだれにもわからない。フロイトの精神分析は現在、世界中で下火になっているものの、心が交感神経系をコントロールしているという説は、ある程度、生物学的に事実だ。ある科学論文によれば、精神状態によって「大腸が長くなったり広がったり、乾燥したり、不活発になったり」するというのだから。

　1517年のその日もルターは腸の動きが悪く、かの有名な宗教的ひら

めきをトイレのなかで得たと言われており、多くの研究者もそう信じている。彼は新約聖書の「ローマ人への手紙」（1章17節）について考えているとき、救済は神の恵みによってのみもたらされるのであって、贖宥状を買うといった人間の行いによってではない、と突如として悟ったのだ。これは、ルターがキリスト教会に反発する際の中心的教義となり、最終的にプロテスタント教会を創始するための神学的基礎になった。この考えかたは、神と個人との関係を強め、聖職者への依存を弱めるよう提唱したものでもあった。いつものように、ルター自身も宗教的ひらめきを実際、「クロアーカ（cloaca、ラテン語で下水溝のこと）」で得た、と言っている。「塔のクロアーカで、精霊がこの知識をわたしに与えてくださった」（ちなみに、修道士たちは cloaca を「暖かい部屋」の意味で使っていたかもしれないし、in cloaca は「意気消沈」つまり落ち込んでいるという意味で使っていたかもしれないが、もっと広義に「下水溝」「屋外トイレ」「便所」というような意味でも使われた）。大きな安堵に包まれたことを彼自身が生き生きと描いているのは、おそらく排便して腸をすっきりさせ、間違ったカトリック教義を心から追いやってすっきりしたからではないだろうか。本人の言葉ではいまや「すっかり生まれ変わったようで、開かれた門を通って天国に入った」という。一部の研究者は、トイレでひらめきを得たというルター自身の言葉に疑問を抱き、彼の文章からは、宗教改革の教義が時間をかけて少しずつ考案されていったことがわかると指摘している。しかし、ルターはトイレの話をしているのであり、プロテスタント宗教改革は、（少なくとも、従来の説では）かなり意外な場所から始まったとされる。

　もちろん、宗教改革にはほかにもジャン・カルバンやフルドリッヒ・ツビングリなどの中心的人物がいた。彼らは、多くの学者たちを先導し、今こそキリスト教の新しい形を作ろうとした。ただ、ルターはだれよりも卓越し、ゆるぎなく率直にものを言った。わけても、ままならない排便への苛立ちをたびたび言葉で爆発させていた。そう、1517年の宗教的ひらめきも、トイレにまつわる数々の下品な言葉づかいのひとつにすぎなかったのである。彼の場合、糞便に関する表現となると、説教でも演説でも手紙でも、いっさい節度はみられない。「それでもわたしは悪魔に抵抗する。あいつをおならで追いやってやるのだ」

悪魔といえば、トイレは悪魔がよく出入りするお気に入りの場所だと考えられていた。ルターは便秘の苦しみを悪魔のしわざと考えていたらしい。たとえば、当時の宗教改革の版画では、教皇は女悪魔の直腸から産まれたように描かれている。当時は表現がどぎつかったのだ。ルターの強烈な言葉を見てみよう。「親愛なる悪魔よ……わたしはズボンのなかにうんこをした。おまえはそれを首にかけて、口を拭くがよい」。聖職者のなかには、このような言葉づかいに反感を抱く人もいた。イングランドのトマス・モアはルターのことを「下品な人間で……肥だめとか汚水槽とか便所とかうんことか大便といった言葉しか口にしない」と言っている。

　しかし、それ以外のルターの言葉や行動には大変な重みがあり、西洋の教会を二分して、キリスト教を変えた。そしてルター自身の弁明によれば、汚い言葉で悪魔と闘うことは実に爽快で、きわめて率直で、「生活に根ざしたキリスト教」という自身の理想に沿ったものだという。彼はこう記していた。「相手がサタンだとわかったなら、『クソ食らえ』と言ってやればギャフンとなる」（ルターが長時間トイレにいたことを考えれば、おそらく、悪魔とおぼしき存在は何度もギャフンとさせられたことだろう）

# ルターの「お手洗い」が
# ついに見つかる

「すばらしい発見です」ルター記念館の館長シュテファン・ラインは500年前のトイレを指してそう言った。それはただのトイレではなく、ルターがプロテスタントの基礎となる教義を考案しながら座っていたトイレなのだ。研究者たちは、ドイツのウィッテンベルクにあるルターの家の庭を発掘していたとき、約10メートル四方の別館を発見した。その部屋の片隅にはあきらかにトイレと思われる窪みがあった。研究者によれば、ルターが1517年に宗教的ひらめきを得たとき座っていたのは、まさしくそのトレイにほぼ間違いないという。当時としてはかなり進んだトイレだったようだ。石のブロックでできていて、30センチほどの便座に穴が開いており、その下には汚水槽があって下水管につながっていた。ルターの家には床暖房の設備があったらしく、長時間いても快適に過ごせる。

ただ、それでもまだ疑問がいくつか残る（戦争や思想に比べて、日常生活に関する史料はぐんと少ないからだ）。たとえば、トイレットペーパーはどうしていたのか。「当時の人がお尻を拭くのになにを使っていたのか、まだわかっていません」と神学者でルター専門家のマルティン・トロイは言う。紙はとても硬かった——そのうえとびきり高価だった——ため、噂によれば、ルターは敵のカトリック教徒が書いた本のページを破って使っていたという。

# ルターの苦難と試練は
# サタンの仕業か？

　多くの記述によれば、マルティン・ルターは愛情深い夫であり、子を溺愛する父親であり、偏った考えはあったにせよ誠実な神学者でもあった。しかし、気分の浮き沈みが激しいため、双極性障害ではないかと疑う人もいた。それに対して、彼には身体的苦痛がいくつもあったのだから、ちょっとした怒りっぽさやむら気はしかたないと言う人もいた（実際、「cranky＝怒りっぽい」という言葉はドイツ語の「Krankenheit＝病気」という言葉から来ている）。

　ルターの初期の肖像画は、やつれた苦行僧のような表情をしている。（本人によれば、若い修道士時代に胃腸を悪くしたらしい。その後のプロテスタント時代は太って描かれている）。当時の医師の診断によれば、ルターは膀胱結石、慢性便秘、痔核を患い、最終的には冠状動脈血栓症で比較的若くして亡くなった。

しかし、もっとも興味深いのは、本人の言う晩年のサタンとの肉体的闘いである。最初に発作が起きたのは1527年。ルターの説明によれば、左耳の耳鳴りが劇的にひどくなって、頭の左側に広がり、続いて轟音、吐き気、めまいが起きた。最後には疲れはてて（それでも意識ははっきりしていた）ベッドに倒れ込んだ。次の朝目覚めると、症状のほとんどは消えたりましになったりしていたが、耳鳴りだけは残り、これは彼を生涯悩ませることになった。原因はサタンか、それともほかのなにかのだろうか。

　現代の医師によれば、こうした発作は実際にメニエール病の症状であり、耳の慢性的炎症によって耳鳴りやめまいが起きるという。この病気が医学的に知られるようになったのは1800年代で、ルターの死からずっとあとのことだ。

アン・ブーリンの心臓

# ANNE BOLEYN'S HEART

&

## THE FAD OF BEING BURIED IN MORE THAN ONE PLACE

噂の王妃は頭だけでなく、
ハートも切り取られた？

ン・ブーリンと結びつく体の部位はどこかと訊かれれば、おそらく多くの人は「頭」と答えるだろう。もちろんそれは理にかなっている。というのも、1536年5月19日、夫であるイギリス王ヘンリー8世の命により、その頭部が体から切り離されたのは有名な話だからだ。ヘンリーはカトリック教会と断絶してまで、最初の妻キャサリン・オブ・アラゴンと離婚し、アンと再婚した。けれども、彼女は夫が待望していた男子の跡継ぎを産むことができなかった。だからヘンリーは次の妻（ジェーン・シーモア。最終的に6人の妻を持ったヘンリーの3番目の妻）に鞍替えし、アンを反逆罪と姦通罪（実弟とも関係を持った）で訴え、処刑を命じたのである。

　だが、アンの頭はひとまず置いておこう。ここで取り上げたいのは彼女の心臓であり、話によると、頭だけでなく心臓も体から切り離されたという。こんなふうに言う人たちがいる。ヘンリーはまだ彼女を愛していたので、遺体はキリスト教の儀式もなくロンドン塔の卑しい墓に葬っても、心臓だけは手元に置いておきたかったのだろう、と。別の意見によると、アン自身が最後の願いとして、いちばん幸福な時代を過ごしたサフォーク州アーワートンの教会に心臓を安置してほしいと言い残したのだという。どちらのいきさつが真実なのか、あるいは、そもそも心臓

がほんとうに取り出されたのかは、だれにもわからない。というのも、遺体から心臓を取り出すのが流行した時代はあるものの、アン・ブーリンが亡くなったころには、もはやそれほど一般的ではなかったからだ。

　時代を少しさかのぼった中世のころ、遺体から心臓を取り出して別に埋める（あるいは装飾の施された箱や袋に入れておく）やりかたは、とくに上流階級のあいだでは習わしになっていた。「分散埋葬」と呼ばれるものの一形態である。分散するということは広範囲に散らばることなので、当然ながら体を分散可能に——わかりやすくいえばバラバラに——する必要がある。つまり、体を切り離して何カ所かに安置できるようにするのだ。

　7世紀のヨーロッパ諸国、とくにアルプス以北では、内臓を取り出して防腐処理を施すことが行われていたが、体の一部を切り取って埋葬する方法が広く受け容れられるようになったのは十字軍によってだ。十字軍の戦いは1096年から1291年まで、キリスト教徒とイスラム教徒のあいだで行われた。兵士たちは故郷から遠く離れた場所で殺されたが、現地はたいていは暑かったため、遺体を無傷で故郷へ運び教会墓地に埋葬するのは、不可能ではないにせよ困難だった。ではどうするか。一部だけを故郷へ帰すのだ。骨、内臓、あるいはもっとも一般的だった心臓。こうして十字軍兵士たちは扱いやすく小さくなって故郷へ帰り、埋葬されたのである。

　十字軍兵士たちの多くは貴族階級だったため、分散埋葬は上流階級と結びつくようになり、それに憧れる中産階級にとっても望ましいものになった。彼らは、3カ所への埋葬を望んだリチャード1世（獅子心王）と同じことをしたがった。フランス育ちの彼の心臓はルーアン大聖堂に埋葬され、脳と血と心臓以外の内臓はシャルーに、そして残りは家族によってフォンテーヌブローに埋葬された。人びとは分散埋葬をそれほど行っていたわけではないにせよ、そのコンセプトは気に入っていた。心臓は家族の墓に安置し、遺体は地元の教会に埋葬してもらえばステータスのしるしになる。地元の教会といえば、教会側はこうしたやりかたを心から歓迎した。文字どおり富を拡大するのにもってこいの方法だからだ。亡くなった皇帝や王や領主の体の一部が複数の教会施設に安置されれば、それぞれが資金を得ることになる。

しかし、カトリック教会の教皇ボニファティウス8世はこれを承認しなかった。このやりかたに嫌悪感を示して、1299年、正式な布告である勅書を発行し、禁止した。ところが、この禁止令は逆に分散埋葬の価値をさらに高めることになった。なぜなら、教皇の特免を得て手配してもらうことが、14世紀で最高のステータスシンボルになったからだ。なかには、分散という考えかたを無限と捉えた人物もいる。ベランジェ・フレドール枢機卿は1308年、自身の遺体を好きなだけ多くの場所に埋葬してよいという特免を教皇から与えられた（しかし気の毒なことに、本人の大仰な計画にもかかわらず、遺体はひとかたまりのまま、したがって1カ所だけに埋葬された。このように、死後の計画というのはままならないものだ。なにしろ自身の取り決めが実行されるかどうか見届けられないのだから）。

　こんなふうに、たとえ教会が禁止しても、信者たち、とくに中世の権力者たちは抵抗した。14世紀半ば、教皇クレメンス6世は前任者ボニファティウスの遺志に真っ向から逆らい、フランスの王族は全員、遺体を自由に分割できるという完全な特免を与えた。それ以来、遺体は一般の拝礼用として教会に埋葬し、心臓は遺族のもとに残して、より丁重に葬るやりかたが一般的になった。この流行は1400年代以降、イギリスではやや下火になったものの、分散埋葬とりわけ心臓の埋葬は、1800年代を通じてフランスとドイツで根強く続いた。

　ここでアン・ブーリンとその心臓に戻ろう。1500年代のイギリスでは、もはや心臓の埋葬はさほど流行しなくなっていたため、ほんとうに心臓が取り出されたのかについては多くの議論がある。元夫が思い出として心臓を取っておいたのだろうか。アンの最後の望みに従って、心臓は取り出されてサフォーク州に運ばれたのか。それとも、本人の胸に残っていたのだろうか。それはだれにもわからない。

　わかっているのは、1800年代半ばにアーワートンのセントメアリー教会が改修された際、内陣の壁から、記銘のないハート形の小さなブリキ製宝石箱が発見されたことだ。教会の職員は、アン王妃の心臓が本人の最期の願いによってここに埋葬されたという話が何世紀も前から伝わっているので、その心臓に間違いないと言った。けれども、宝石箱に入っていたのは、ただの塵だった（もとは心臓だったかもしれない）。しか

し、教会にとってはそれでじゅうぶんなのだ。彼らはそれをオルガンの下にふたたび埋葬し、ここにアン・ブーリンの心臓と思われるものを安置する、という小さな銘板を添えた。やがてそこは名所となり、観光客はそれを見たあと、地元のパブ〈王妃の頭〉に立ち寄って一杯やるのである。

# 近 代 の 心 臓 埋 葬

　心臓だけを別に埋葬するという方法は、もはやほとんど顧みられなくなったものの、なかにはまだ希望する人たちもいた。近代ではこんな例がみられる。

**♥ トマス・ハーディ**
　**作家**（1928年死去）
　遺体はウエストミンスター寺院の詩人のコーナーに埋葬され、心臓は家族とともにドーセットの墓に埋葬された。
　（注：その心臓は動物のもので代用したという話もある。なぜなら、外科医がハーディの心臓を取り出してクッキーの缶に隠しておいたところ、猫が見つけて食べてしまったからだ）

**♥ ピエール・ド・クーベルタン**
　**近代オリンピックの父**（1937年死去）
　心臓はギリシャのオリンピアに埋葬された。

**♥ オットー・フォン・ハプスブルク**
　**オーストリア・ハンガリー帝国王子**（2011年死去）
　遺体はウィーンに、心臓はハンガリーのベネディクト会修道院に埋葬された。

## 太陽王の心臓の
## なんとも不幸な事件

　ルイ14世の心臓は77年間にわたってサンポール・サンルイ教会で祀られてきたが、フランス革命中、教会が略奪されたときに失われてしまった。ある説によると、その心臓はハーコート家の宝物となってひそかにイギリスへ渡り、そこで不幸な目に遭ったという。イギリスの作家オーガスタス・ヘアによれば、地質学者だったウィリアム・バックランド博士（食べられるものはなんでも食べてやろうという妙な野心を抱いていた人物）がハーコート家の晩餐に出向いたとき、嗅ぎタバコ用のシルバーの箱に収められた心臓──クルミによく似た灰色のもの──がまわってきたという。ヘアはこう記している。「それを見ながら……バックランドは言った。『これまでずいぶん変わったものを食べてきたが、王の心臓は初めてです』。そして周囲が止める間もなくのみ込んでしまったため、その貴重な聖遺物は永遠に失われた」。しかしある人によると、実際のところ、博士は岩石を調べるときと同じように、それがどんなものか口に入れてみたところ、思わずのみ込んでしまったのだという。

# 『フランケンシュタイン』の誕生と、お守りの心臓

　まるでホラー小説に出てきそうな見出しだが、それもそのはず、この話は小説『フランケンシュタイン』の著者メアリー・シェリーに関わることなのだ。1822年、彼女の夫でロマン派詩人のパーシー・ビッシュ・シェリーは不慮の海難事故により29歳で亡くなり、その場しのぎの火葬を施された。しかし──おそらく結核による石灰化のために──心臓は燃えなかった（心臓ではなく肝臓だったとする説もある）。それを見ていた友人が炎のなかから心臓をつかみ出した。メアリーはそれを遺骨と一緒には埋葬せず、手元に置いておいた。そして石灰化した心臓を絹の袋に入れてつねに持ち歩いたという。メアリーが亡くなった1年後の1852年、机のなかから夫の晩年の詩集『アドネイス』のページに包まれた心臓が見つかった。それから47年後、最終的に心臓は、メアリーと息子パーシー・フローレンス・シェリーとともに家族の墓に埋葬された。

チャールズ1世とクロムウェルの頭

# Charles I's & Oliver Cromwell's Heads

&

## TWO COMPETING IDEAS OF GOVERNMENT

&

## THE RISE OF CONSTITUTIONAL MONARCHY

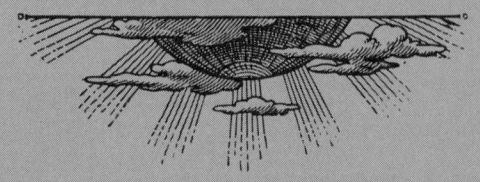

王党派 vs 議会派――
ともに首を刎ねられた元首の話

1600年〜1649年／1599年〜1658年

---

れは2人の特別な人物、つまり元首2人の頭に関する話である。ひとつは生きているあいだに切り離され、もうひとつはさらに不気味なことに、死んだあとに切り離された。遅くなってもやらないよりはいい、ということだろうか。

　最初に切り離された頭の持ち主はイングランドのチャールズ1世だ。彼が王位を剝奪されたのは、きまじめな清教徒たち、わけても有名なオリバー・クロムウェルによって処刑されたからである。クロムウェルは議会派のリーダーで、彼らは権力を拡大して、税金を減らし、確固たるキリスト教国家を作ろうとしていた。問題の多かった国王の頭が切り落とされると、議会派は（しばらくのあいだ）きわめてうまく事を運んだ。クロムウェルは護国卿として国王の代理を務め、本人は幸運なことに頭が付いたまま病気で亡くなった。しかし、それからまもなく（頭を落とされた）王の息子チャールズ2世が権力を握ると、今度はクロムウェルの番が訪れた。その棺が開けられ、遺骸が引きずり出され、見せしめのためしばらく吊り下げられたあと、頭が切り落とされて、議会のそばで鉄の棒に突き刺さった。政治的熱意が強すぎるとどうなるかを思い知らせるためである。

　要するにこういうことだ。支配者を国家から文字どおり切り離す強力

な象徴が斬首なのである。支配者の首を刎ねることで、ようやくすべてが終わる。クロムウェルが死後に首を切られたのは、斬首という象徴の力があの世にまで及ぶことのあらわれである。

しかし、1600年代（とそれ以降）の斬首は、必ずしも政治に関わるものだけではなかった。というのも、斬首であれ、もっとおぞましい公開処刑であれ、（内臓抉り、四つ裂き、火あぶり、そして単純な首吊りも大衆の「娯楽」だった）ヨーロッパの大部分（そのほかでも）では1800年代まで、人気のある見世物として扱われていたのだ。

斬首などの処刑が娯楽だったとすれば、処刑される側はどうだったのだろう。おもしろいことに、死刑囚は観衆の期待どおり、劇中の俳優役を熱心に演じてみせることが多かった。実際、勇気や尊厳をもって、あるいは無関心な態度で斧（やロープなど）と向き合い、観衆に向かってそれらしいスピーチをするのが、よくあるやりかただった。こうした血みどろの娯楽を見物した人の日記には、死刑囚の振る舞いに感嘆する記述も多くみられる。さながら、わたしたちが映画を観て俳優の演技を褒めるようなものだ。

チャールズ1世の場合、斬首劇をとことん演じ切った。実のところ、とてもうまく演じたおかげで、最終的に息子チャールズ2世は王位を奪還。その後、彼はクロムウェルの頭だけでなく、同じ反王党派の仲間数人の頭やほかの部分を、生きたまま切り落とすことになった。

そもそも、チャールズ1世はなぜこれほど性急に首を刎ねられたのか。彼は父であるジェームズ1世から王位を受けついでいたが、残念ながら、父が信じていた王権神授という考えかたも受けついだらしい。これは要するに、王はだれよりも権威があり、神の命に従って統治するという当時の独特な考えかたである。しかし時代は変わりつつあり、イングランドではこの考えかたが徐々に影を潜めていった。やはりと言うべきか、多くの論争が集中したのは税金をめぐってである。チャールズ1世は、みずからの王権を信じていたため、議会の承認なしに課税し、台頭してきた中産階級に睨みをきかせようとした。彼がカトリック教徒を妃に迎えたことも、人びとの反発を買った。プロテスタントが勢いを増すイングランドで、ふたりの人気は次第に薄れ、チャールズ1世はやがてあらゆる宗教論争にも巻き込まれていった。

やがて反乱が起こり、その結果チャールズ1世は、議会軍の将軍で議員でもあったオリバー・クロムウェルに惨敗した。王の役割を縮小し立憲君主となる提案をチャールズ1世はすでに拒否していたため、クロムウェルを含む急進的な議員たちは、国家の頭を文字どおり退場させることにした。そうして、チャールズ1世は反逆罪で裁判にかけられた。

　裁判のときまでずっと、彼は大衆から好かれるような行いはしていなかった——いったいだれが独断的な課税や、神から認められた優越性などという傲慢さを好むというのか。しかし、たとえ生前は有能な王でなかったとしても、彼は死に臨んで見事な演技をした。どうやら突如として、シェイクスピアばりに「世界は舞台である」と悟り、いまやおのれがその主役だと目覚めたようなのだ。

　裁判のあいだ、彼は殉教者となる人の、すべてを受け容れる穏やかな雰囲気を漂わせていた。そのため、早く公式な有罪判決を勝ち取ろうと苛立っている原告のほうが、むしろ犯罪者に見えたほどだった（苛立つにはそれなりの理由があったのかもしれない。現代の記述によると、彼らは処刑を避けるため、9つ以上の選択肢をチャールズ1世に示したものの、すべて断られたという）。その結果、チャールズ1世は死刑宣告を受け、最期の日々は、大物殉教者としての役に磨きをかけて過ごした。処刑前日の朝、チャールズ1世と廷臣たちは、彼の主張を記した本『イーコン・バシリカ——孤独と苦悩のなかにある神聖なる陛下の肖像』の初版を完成させることになった。ふんだんに入れられたイラストは、告発した者たちに許しを乞う信心深い王の姿を描くことで、嫌みを込めて彼らを非難しているのである。

　処刑の日、グランド・フィナーレを見ようと集まった大観衆の前で、チャールズ1世は敬虔な王として最後のシーンを演じた。彼は黒い布で覆われた特別な死刑台に連れていかれ、そこで（いつもの吃音もなく）雄弁に語った。そのスピーチには不朽の名言となる一節も含まれていた。「わたしは朽ちた王冠から離れ、朽ちることのない王冠へと向かう。そこはいかなる争乱もなく、いかなる混乱もない世界なのだ」

　そのあと、彼はマントを脱ぎ、手袋とガーター勲章を外し、斬首台に横たわって合図を送った。すると、すばやい一撃で頭が落ちた。観衆からは反応があったものの、それはクロムウェルと議会派の仲間が望んで

いた歓声ではなかった。ある少年によると、斧が振り下ろされると「今まで聞いたことのないようなうめき声を聞いた。二度と聞きたくない声だった」という。その後まもなく、人びとはチャールズ1世をイエス・キリストになぞらえるようになった。

　それでも、しばらくのあいだはたいして問題にならなかった。というのも、クロムウェルと議会派は新たな政治体制をしっかり——おそらくしっかりすぎるほど——掌握していたからだ。彼らは君主制を非合法化したものの、清教徒の行きすぎた情熱で、多くの劇やスポーツや楽しいクリスマスの祝いごとまで禁止した（宗教そのものに熱中させるため）。そうして数多くの宿屋を閉鎖し、化粧を禁止し、女性には「敬虔な」ドレスコードを作成した。どれも楽しそうには思えない。その結果、彼らは墓穴を掘ることになり、事実、オリバー・クロムウェルが病死したあと、まもなく勢力を弱めていった。チャールズ1世の子どもたちのうち、生き残っていた年長者、のちのチャールズ2世が亡命先からイングランドに呼び戻され、なおも抵抗する議会派とちょっとした争いがあったあと、王政が復古した。

　その後、何世代にもわたって、チャールズ1世は不正義と闘い、乱暴に民主主義を推し進める勢力と対峙する正しい王の象徴であり続けた。また、彼はイングランドでの王政維持を正当化する象徴でもあった。ただし、これは付け加えておかなければならないのだが、クロムウェル派はあえて王を斬首したことを、のちのち公式に赦免された。

　1985年のことである。

# 斬首の方法
## イングランドの場合

　斬首は見た目ほど簡単ではない。まず、熟練した刀の使い手が必要である。斬首というのはふつう王族や貴族に対して行われるため、彼らは執行が正しいやりかたで、つまりすばやく一振りでなされるよう堂々と要求してくる。多くの科学者によると、すばやく首を刎ねるのはきわめて人道的だという。推定では、頭部が切り落とされると最大7秒間は意識が残るらしいが、おおかたの科学者は即座に意識を失うと考えている。ただし、死刑執行人もさまざまで、イングランドには下手な首切り人が昔から数多くいた。トマス・クロムウェル（オリバー・クロムウェルの先祖）の執行人も腕が悪かったせいで、何度も首を切りつけて、ようやく落とした。熱心な見物人のひとりがこう書き残している。「彼は斧が何度も振り下ろされるのを辛抱強く耐えていた。斧は歯が欠けていて使い物にならなかった」

　それより少し前、アン・ブーリンはこうした事態をすでに予見していた。みずからの斬首にあたって、彼女は熟練した剣士をフランスから呼び寄せた。これこそ王族の特権である。

# タイバーンの祭日

　違法行為で捕まった人のほとんど──つまり平民──は斬首ではなく絞首刑に処せられた。それでも、彼らはチャールズ1世と似たり寄ったりの演技をしてみせることが多かった。処刑によく使われた場所はタイバーンで、今日のロンドンのマーブル・アーチ近くにあった。処刑の日は「タイバーンの祭日」と呼ばれた。おおぜいの囚人がニューゲート監獄からタイバーンの絞首台まで荷馬車に乗せてこられる様子を、群衆は歓声を上げながら眺めた。死刑囚はさばさばしていればいるほどよいし、追い剝ぎの罪を犯した者などはみな上等な服を着て、気のきいた熱弁を振るった。アルコールで舌を潤すことも許される。荷馬車はたいてい居酒屋に寄り、そこで死刑囚の男も女もしこたま呑んで酔っ払い、お決まりのジョークを口にする。この飲み代は「今度来たときに払うから」。

# 14

カルロス2世の顎

# CHARLES II OF SPAIN'S JAW

— AND —

THE UNFORTUNATE REPERCUSSIONS
OF KEEPING THINGS ALL IN THE FAMILY

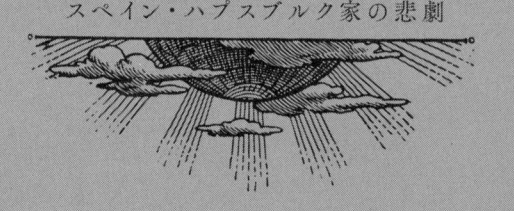

同族結婚に執着した
スペイン・ハプスブルク家の悲劇

---

ペインのカルロス2世は、本来ならすべてをわがものにしたはずの王だった。ヨーロッパの大部分を支配したハプスブルク家の一員であり、安定した王族の跡継ぎにもたらされるあらゆる特権、すなわち金銭、土地、権力、王位を受けついでいたのだから。

　ところが、彼は一族に特有の顎をも受けついでしまい、そのため悪い意味で有名になった。カルロスは顎のせいで顔がゆがみ、つねによだれを垂れ流していて、まともに話すこともできなかった。彼がいわゆる「ハプスブルク家の顎」をしていたのは、一族がきわめて近い関係にあったからで、これがのちにスペイン・ハプスブルク王朝衰退の象徴となった。

　ハプスブルク家は600年以上にわたってヨーロッパで中心的役割を担っていた。始まりは1020年代のスイスで、その後オーストリア、ドイツ、ボヘミアへと勢力を拡大した。1452年、フリードリヒ3世が神聖ローマ皇帝となり、ハプスブルク家の影響力を確固たるものにした。それ以降、ハプスブルク家はヨーロッパ随一の王朝となり、その地位を維持するため、力のある名家と政略結婚し、やがては一族同士で政略結婚するようになった。そのことが、ときには問題のある遺伝子を生み出し、最終的にはこの一族独特の顎を生み出したのである。

医学的にいえば、ハプスブルク家の顎（ハプスブルク家の下唇とも呼ばれる）は下顎前突症あるいは下顎前突の有無にかかわらず上顎後退症だったと考えられている。基本的には下顎が突き出ているということだ。しかし、これはどう見ても顎が頑丈だったり角張ったりしているだけではないし、単に目立つというのとも違う。顎が大きく突き出ているため受け口になり、不可能ではないにしろ、きちんと口を閉じることが難しいのだ。また上顎欠損症、つまり上顎骨が未発達のせいで、顔の真ん中がへこんでいるように見え、しばしば下唇と舌が異常に分厚くなるため、はっきりしゃべるのも難しい。

　こうした遺伝的傾向が生じたのは、ひとえにハプスブルク家が権力を維持する方法として近親結婚を選んだからである。ハプスブルク家は当初、ほかの王室との政略結婚を通して、オーストリアからヨーロッパの大部分へと権力基盤を拡大し、権力と新たな王位を獲得していった。しかし、1496年にフェリペ1世とカスティーリャ女王フアナが結婚して、ついにスペインと婚姻関係ができるころには、やりかたが少し変わっていた。政略結婚を通して権力基盤を維持するのは同じだが、この「政略」がすべて親族内だけで行われるようになったのだ。

　近親結婚はほかの王室でも珍しくはなかったが、ハプスブルク家、とくにスペインの分家はレベルが一段上だった。1516年から1700年までに、スペインのハプスブルク家が血縁者同士で結婚（同族結婚ともいう）したのは、11回のうち9回、つまり82%近くにのぼる。同族結婚とは、正確にいえば、またいとこかそれより近い者同士の結婚だが、ハプスブルク家の場合はたいがい、またいとこを避けた。代わりにいとこ同士か二重いとこ［双方の両親がそれぞれ兄弟姉妹］同士（ハプスブルク家の場合はすでに同族交配しているため、通常よりもこのケースがよくみられた）、あるいは叔父と姪との結婚が多かった。

　そのため、カルロス2世の家系図は、親族内で行ったり来たりするひどく複雑なものになっている。カルロスの母はカルロスの父の姪なので、カルロスは父の姪の息子であるとともに、母のいとこでもあり、そのうえ2人の息子でもある。また、彼の祖母（母の母）は叔母（父の妹）でもあるので、彼はその甥であり同時に孫息子でもある。そして、曾祖母たちは全員がある一組の夫婦——フェリペ1世とフアナの子孫な

のだ。

　こうも親族内で馴れ合っていれば、ハプスブルク家、わけてもスペインの分家に厄介な遺伝的問題が生じてくるのも無理はない。実のところ、近親結婚によるハプスブルク家の特徴は顎だけではなかった。親族の多くがハプスブルク家特有の鼻をしていた。鼻梁が盛り上がり、先端が突き出ているのだ（これは上顎欠損症のもうひとつの特徴でもある）。当然ながら、解剖学的にはわからない不快な症状、たとえば痛風、喘息、てんかん、浮腫、鬱病などの傾向もあった。そう、ハプスブルク家の一員であることは楽ではなかった。とくに、近親交配がどんどん重なっていった場合には。

　遺伝的な顎の特徴は、ハプスブルク家に９代連続してあらわれた。なかにはわずかな徴候しかみられない人物もいたが、かなり顕著にあらわれる人物もいた。言い伝えによると、ハプスブルク家初代スペイン国王で、神聖ローマ皇帝カール５世（別名スペイン国王カルロス１世）が１５１６年にヘントからスペインに到着したとき、ひとりの農民がカルロスとその特徴的な顔をひやかしてこう言った。「陛下、口を閉じておくれよ！　この国のハエはひどく無礼だからさ」。カルロスがその言葉に反応したとは思えない。なんといっても、彼は王であり、有象無象の指図に従う必要などないからだ。とはいえ、たとえ口を閉じようとしても閉じられていたとも思えないのである。

　ハプスブルク家の初代スペイン国王即位から１４５年後の１６６１年、ハプスブルク家の顎はカルロス２世の誕生によって、ついに最高潮、いやむしろどん底に達した。彼の顎は嚙み合わせがずれていて、舌と下唇が異常に分厚いため、なにかしゃべってもだれにもまったく理解してもらえなかった。バロック画家フアン・カレーニョ・デ・ミランダの有名な肖像画は、１６８５年ごろ、２４歳のカルロスを描いたものだ。当時、芸術家は王室の作品を手がける際、できるだけ見栄えがよくなるよう工夫し──いわば１７世紀の画像処理ソフトだ──しかも、その人物がだれかわかるように仕上げた。だから、肖像画に描かれたカルロス２世はかなりひどい受け口で、なんとなくおかしな顎をしているが、それでも本物ほど目立ってはいない。オルレアン家のマリー・ルイーズがカルロスとの結婚を打診されたとき、フランス大使はスペインの宮廷について調査

し、こんな手紙を書き送っている。「このスペイン国王は人を怯えさせる
ほど醜い」（いずれにせよ、マリー・ルイーズはカルロスと結婚しなけ
ればならなかったのだが、この結婚は幸せなものではなかった）

　しかし、カルロスが向き合うべき問題は顎だけではなかった。あまり
親らしくない両親とも向き合う必要があったのだ。彼が育った環境は、
どんな意味においても愛情に満ちたものではなかった。カルロスは生ま
れたときから健康上に多くの問題があったため、唯一、重視されたのは、
とにかくこの子を生かして、ハプスブルク家のためスペインの王位を継
承させることだった。だから、ほかのことはどうでもよかった。教育さ
えも、ハプスブルク家の考えからすれば必要ないものだった。したがっ
て、カルロスは正式な教育を受けておらず、おそらく読み書きもできな
かった（一説によれば知的障害があったという。いっぽうで、教育を受
けていないためにそう見えただけだという説もある）。話すことも歩く
ことも重要視されなかったのだ。伝えられるところによると、カルロス
は4歳になるまでしゃべることができず、母親は息子の「健康」を考え
て歩かせようとせず、8歳か10歳になるまで人の手を借りて移動させて
いたらしい。

　そして、大人になっても子ども時代とたいした変化はなかった。カル
ロスは相変わらず病弱で、言葉や身体的な問題も改善しなかった。そし
て、30代になるころにはさらに健康状態が悪化していた。髪の毛が抜
け、歩行困難になり、幻覚に襲われるようになった。彼はこんなふうに
描写されている。「背が低く、足が不自由で、てんかん持ちで、35歳にし
て老人のようにすっかり禿げてしまった。つねに死の危機に瀕していた
ものの、それでも生きていたため、周囲を困惑させ続けた」。家臣たちに
「エル・エチサード（呪われた子）」と呼ばれたのもなるほどと思わせ
る。

　皮肉なことに、ハプスブルク家は王位を維持しようと躍起になったた
め、かえってスペインを失うことになった。ハプスブルク家の研究をし
ているスペインのサンティアゴ・デ・コンポステーラ大学の科学者たち
によると、度重なる近親交配によって遺伝子構造が激しいダメージを受
けたせいで、しまいには遺伝子が複製できなくなったのだという。結局、
カルロス2世は子孫を残すことができなかった。そのため、1700年に彼

郵便はがき

**1 3 4 8 7 3 2**

料金受取人払郵便

葛西局承認

3015

差出有効期間
令和7年3月31日
まで（切手不要）

（受取人）

日本郵便　葛西郵便局私書箱第30号

日経ナショナル ジオグラフィック

読者サービスセンター 行

| お名前 | フリガナ | | 年齢 |
|---|---|---|---|
| | | | |

| ご住所 | フリガナ |
|---|---|
| | □□□-□□□□ |

| | |
|---|---|

| 電話番号 | （　　　） |
|---|---|
| メールアドレス | ＠ |

●ご記入いただいた住所やE-Mailアドレスなどに、DMやアンケートの送付、事務連絡を行う場合があります。このほか、
「個人情報取得に関するご説明」（https://natgeo.nikkeibp.co.jp/nng/p8/）をお読みいただき、ご同意のうえ、ご返送ください。

アンケート（裏面）へのご協力、誠にありがとうございます。

# お客様ご意見カード

このたびは、ご購入ありがとうございます。皆さまのご意見・ご感想を今後の商品企画の参考にさせていただきますので、お手数ですが、以下のアンケートにご回答くださいますようお願い申し上げます。(□は該当欄に✓を記入してください)

---

**ご購入商品名** お手数ですが、お買い求めいただいた商品タイトルをご記入ください

---

### ■ 本商品を何で知りましたか（複数選択可）

- □ 店頭で（書店名： ）
- □ ネット書店（該当に○：amazon・楽天・その他： ）
- □ 雑誌「ナショナル ジオグラフィック日本版」の広告、チラシ
- □ ナショナル ジオグラフィック日本版のwebサイト
- □ SNS（該当に○：Facebook・Twitter・Instagram・その他： ）
- □ プレゼントされた　□ その他（ ）

### ■ ご購入の動機は何ですか（複数選択可）

- □ テーマ　□ タイトル　□ 著者・監修者　□ 表紙　□ 内容
- □ 新聞等の書評　□ ネットでの評判　□ ナショジオ商品だから
- □ 人に勧められた（どなたに勧められましたか?: ）
- □ その他（ ）

### ■ 内容はいかがでしたか（いずれか一つ）

- □ たいへん満足　□ 満足　□ ふつう　□ 不満　□ たいへん不満

### ■ 本商品のご感想やご意見、今後発行してほしいテーマなどをご記入ください

### ■ 雑誌「ナショナル ジオグラフィック日本版」をご存じですか（いずれか一つ）

- □ 定期購読中　□ 読んだことがある　□ 知っているが読んだことはない　□ 知らない

### ■ ご感想を商品の広告等、PRに使わせていただいてもよろしいですか?

（いずれか一つに✓を記入してください。お名前などの個人情報が特定されない形で掲載します。）

- □ 可　□ 不可

が亡くなると、スペインのハプスブルク王朝は終わりを告げた。子ども
がいなかったため、カルロスはフランス王ルイ14世に嫁いだ異母姉の
マリア・テレサの孫、16歳のアンジュー公フィリップを王位後継者に指
名した。それがゆくゆくはスペイン継承戦争へとつながっていく。

# ハプスブルク家の
# 独特の黄色

　ハプスブルク家の建築物、とりわけ公共の建物はウィーンからクラクフ、コルドバまで同じ色合いをしている。ハプスブルク・イエローと呼ばれる、金色がかった印象的な黄色である。この黄色がハプスブルク家と密接に結びつくようになったのは、そもそも彼らが黒と黄色——神聖ローマ帝国の国旗の色で、ハプスブルク家は神聖ローマ皇帝の称号を持っていた——を一族の色に選んだからで、黄色は紋章にも使われている。中世の時代、実のところ黄色には毒、嫉妬、詐欺などと結びつく否定的な意味合いがあった。しかし、富や権力を象徴する金色に近いことから、肯定的な意味合いも持つようになったのである。

　こうして、黄色はハプスブルク家にとって「これはわが一族の所有物である」と一瞬で判別する目印となった。国境をまたぐ広大な帝国のすみずみまで、彼らは公共の建物を同じ黄色に塗り、統一戦線を印象づけた。やがて、その黄色はハプスブルク家以外にも広がりはじめ

る。宮廷の取り巻きやブルジョアもまねをしたのだ。19世紀になると、ハプスブルク・イエローは高級住宅や別荘で選ばれる色になり、やがてそれが民衆まで降りてきて、下層階級の住宅や農家でも使われるようになった。

　ハプスブルク・イエローは、一族の政略結婚によって新世界にもあらわれた。ハプスブルク家の娘レオポルディナ大公女はポルトガル人のドン・ペドロと結婚し、ペドロはのちにブラジル帝国の初代皇帝となった。彼女はブラジル帝国の皇后として、自国の習慣をこの国にも採り入れた。たとえば、オーストリアからブラジルへの移住を促したり（チロル渓谷から来た人たちはブラジルにチロル村を作り、今もドイツ語を使っている）、ブラジルの国旗にハプスブルク・イエローを少し入れたりした。この色は現在の国旗にも使われている。

# 軽度な
# 「ハプスブルク家の顎」

　ハプスブルク家の顎は、回り回って、オーストリアのマリア・テレジアから、その娘であるかの有名なマリー・アントワネットにまで及んでいた。マリーはいわば「軽度なハプスブルク家の顎」をしていたのだ。下唇がわずかに突き出ていたため、すねているように見えたものの、遠縁の親族ほど醜い外見ではなかった。それでも本人はひどく気にして、横顔を描かせようとしなかったという。

# 15

ジョージ・ワシントンの（入れ）歯

# GEORGE WASHINGTON'S (Fake) TEETH

And Their Dirty Little Secret

建国の父である「ご主人様」は
どうやって歯を手に入れたか

1732年～1799年

メリカ建国の父ジョージ・ワシントンは歯に問題を抱え
ていた。昔からの言い伝えによると、ギルバート・スチ
ュアートによる有名な肖像画の口元が不機嫌そうなの
は、入れ歯が合わないせいで痛かったからだという。そ
れが事実かどうかはわからないが、わかっているのは、たしかに彼が歯
で悩んでいたことと、死後だいぶたってから、その入れ歯が口のなかに
ではなく、本人の輝かしい経歴に痛みをもたらしたということである。

　義歯を作る何十年も前からワシントンは歯に問題を抱えており、そも
そもの始まりは20代のころだった。24歳のとき、フレンチ・インディ
アン戦争でバージニア連隊の司令官を務めていたとき、彼は日記のなか
で「ワトソン医師」に5シリング払って歯を抜いてもらった、と書いて
いる。これはその後、何本も抜くことになる歯の最初の1本であった。
ワシントンの公的な立場が上がっていくにつれ、歯の状態は悪くなって
いった。日記の書き込みや戦場からの手紙は実に興味深い内容だ──歯
科医にとっては。歯の痛みや歯茎の問題や、歯科治療について何度も話
題にしているし、帳簿には歯ブラシ、歯痛薬、歯石除去器具を購入した
ことが記されている。大陸軍の司令官だった49歳のころには、すでに部
分入れ歯をはめていた。57歳でアメリカ合衆国の初代大統領になったと
き、自分の歯は1本しか残っていなかった。それでも、彼を敬愛する大

衆には気づかれなかったはずだ。なぜなら、経済的に余裕のある人たちは、歯を失っても取り替えればよいので、彼も総入れ歯にしたからである。

　入れ歯は木製だったと長いあいだ考えられてきたせいで、歯茎にトゲが刺さるのでは、とか、きれいに保つにはやすりで磨く必要があるだろう、などという憶測が生まれた。しかしこの「木製の入れ歯」説は、ワシントン少年が「お父さん、僕が斧で桜の木を切りました」と打ち明けたエピソードと同じで、実は作り話である。たしかに木製の入れ歯はかつて存在したのだが、1700年代半ばまでに、ほとんどの入れ歯——とりわけ金持ちが歯を悪くした場合——は木製ではなく、天然の歯に近い素材、たとえば人間の歯そのものから作られるようになった。ご想像どおり、将軍や一流政治家や裕福なプランテーション所有者は、安物の入れ歯ではなく、可能なかぎり最良のものを選んだ。それはワシントンも同じだった。義歯床はカバの牙を彫って作り、そこに人間の歯を義歯として埋め込んでいた。なかには馬やロバの歯を削って人間の歯に似せることもあったが、ほとんどは実際の人間の歯を使っていた。人間の歯を使うことは、当時にしてみればありふれたことだったが、現代では倫理や世論の面で問題が生じるようになった。気になるのは、義歯の来歴というシンプルな問題である。ワシントンはいったいだれの歯で噛んでいたのだろう。

　マウントバーノン［ワシントンのプランテーションがあったバージニア州の都市］の邸宅に残された彼の帳簿には、1784年5月8日付の書き込みがある。ワシントンの歯科医ジャン・ピエール・ル・メイヤーが訪問する数カ月前のことだ。6ポンド2シリングを「ルモイヤー医師（原文ママ）用として、歯9本分を現金で黒人たちに」支払った、とある。ワシントンがプランテーションの奴隷たちから9本分の歯を購入したわけで、これを自分か家族の義歯として使ったのか、それともただル・メイヤー医師に贈ったのか、はっきりとはわからない。けれども、その歯がかなりお買い得だったことはたしかだ。ル・メイヤー医師は以前、「良質な」前歯を1本2ギニーで買い取る、とニューヨークで宣伝していた。「良質」とはどうやら「状態がよい」だけでなく、白いもの、エナメル色ではないものという意味だったらしい。バージニア州リッチモンドで出された広告

にはより明確に、買い取りは「奴隷を除く」と書かれていた。だから、マウントバーノンでワシントンが入手した9本の歯は、もし白人のものなら18ポンド以上はしていただろう。しかし、白人の歯ではなかったので、その3分の1以下で買えたのだ。

　もちろん、奴隷たちは自分たちの歯に支払われたお金などおそらく見たこともなかっただろうし、その代金がマウントバーノンの収入として還流した可能性は高い。さらに、マウントバーノンの歴史的施設を保存するマウントバーノン婦人協会も、（控えめながら）きちんとこう述べている。「注意しなければいけないのだが、ワシントンは奴隷の歯を使うために金銭を支払ったが、それは奴隷に断る選択肢があったという意味ではない」。そう、彼らは自分の歯でさえも、歯のないご主人様の思うままにさせられたのだ。

　ワシントンは裕福でありながら節約家だったので、入れ歯代をできるだけ抑えようとしたのも頷（うなず）ける。彼はつねに歯のための費用を倹約しようとしていた。1782年、大陸軍司令官として戦場にいたとき、マウントバーノンの管理人（で遠縁）であるルンド・ワシントンに手紙を書き、鍵のかかったデスクの引き出しを開けてほしいと頼んだ。そこには、以前抜いた自分の歯が何本かしまってあった。今作らせている入れ歯に使いたいから、それを送ってくれるよう依頼したのである。それほど節約家だったので、自分の型にぴったり合う高価な義歯よりも、6ポンドで奴隷の歯を買ったのだ。

　彼の入れ歯がどこから来たのかについては、追及すべき問題であるものの、当時、ワシントンは奴隷制の考えかたそのものには反対していたと言われており、共和制になればこんな制度はぜひとも終わらせたいと口にすることさえあった。しかし、奴隷制への嫌悪感は持ちつつも、結局56年間、奴隷の所有をやめようとはしなかった（奴隷を所有しはじめたのは11歳のときだ）。そして、歯に関してきわめて実利的でケチだった彼は、奴隷所有に関しても同じだった。わかりやすい例がある。イギリスの軍人コーンウォリスが、ヨークタウンでワシントンの軍に降伏すると、ワシントンは戦争中に自身のプランテーションからイギリスへ逃がしていた奴隷をすべて取り戻した（ジェファーソンも同じことをした）。そして最終的には、その奴隷たちや、マウントバーノンのほかの奴

隷たち全員を解放する。奴隷を所有していた建国の父 [アメリカ独立に寄与した政治家] たちのなかで、みずから解放したのはワシントンだけだった。1799年の遺言には、マウントバーノンの奴隷すべてを解放するよう指示してあったが、ただそれは自分の死後に、と但し書きがついていた。

# ワシントンの歯の問題が独立戦争に一役買ったわけ

　ワシントンは日記や手紙では自身の歯について記していたものの、周囲に話すことはまずなかった。だから、軍の公用郵便物をイギリス側に押さえられたときには、気まずい思いを味わった。郵便物のなかには、フィラデルフィアの歯科医宛てに、歯磨き用具をニューヨーク市（彼の軍隊が野営していた）に送ってほしいという手紙が含まれていたのだ。それを依頼したのは、「しばらくフィラデルフィアには行けそうにない」ので、歯を清潔にしておきたかったからだ。結果的に、その手紙が差し押さえられたのは（本人は戸惑ったとしても）いいことだった。イギリス軍の司令官ヘンリー・クリントンは、「フィラデルフィアには行けそうにない」という文言を、アメリカ軍とフランス軍はニューヨーク市周辺にとどまるという意味に解釈したため、ヨークタウンのコーンウォリス隊を強化する必要はないと判断した。しかし、それは間違っていた。ワシントンとフランス同盟軍は南に進軍してコーンウォリス隊と一戦交える計画を立てており、まさにそれを実行して、敵を打ち負かしたのである。

# 入れ歯の暗黒史

　人類最古の入れ歯は、メキシコで発見された紀元前2500年のもので、動物の歯、おそらくはオオカミの歯で作られていた。動物の歯は何世紀にもわたって、義歯として用いられることが多かった。というより、そう推測される。なぜなら、紀元前700年までは、ほかの例があまり見つかっていないからだ。エトルリア人は人間や動物から歯を抜いて、ゴールドの支えに差し込み、それを金属細工で既存の歯に縛るか留める。すると、古代版ブリッジの完成！　ただしこの歯は腐食しやすいため、かなり頻繁に取り替える必要があった。そのせいもあって、利用できたのは金持ちだけだった。それでも、この入れ歯はよく機能していたので、何世紀ものあいだ使われていた。

　次に入れ歯の技術が大きく飛躍したのは、16世紀の日本で木製の義歯が作られたことである。職人は、人の口で取った型に合わせて代替歯を削り、ぴったりフィットする実用的なものを作った。木製の入れ歯は20世紀初めまでずっと使われていた。そして、ほかにも選択肢はあった。歯科医は動物の歯もまだ使っていたし、1700年代には新たにセイウチや象やカバの牙も使われるようになった。1700年代後半になると、磁器の入れ歯が流行した。「腐敗しない」歯と呼ばれ、フランス人歯科医たちはそこに色を塗って、より自然に見えるようにした。ところが、見た目はいいものの、使い勝手はあまりよくなかった。磁器は割れやすいからだ。そのため、ここでまたしてもちょっと

後退し、動物の歯へ、そしてもっとも望ましい人間の歯へと戻っていく。

　問題は、必要に応じて人間の歯を手に入れるのが難しいことだ。なぜなら、ほとんどの人は自分の歯がなくなると困るだろうから。つまり、生きている人は、という意味だ。死んでしまえばもう歯は必要なくなる。だからこそ、死者が歯のサプライチェーンをおもに担うようになったのだ。歯科医が死体から歯を取ってくるのも、珍しいことではなかった。ワシントンが亡くなって何年かたったころ、いわゆる「ワーテルローの歯」がフランスでは入れ歯としてよく使われるようになった。そう呼ばれるのは、その歯が1815年のワーテルローの戦いで殺された数万人（推定では5万人にものぼる）の兵士から取ったものだからである。また、処刑された犯罪者も歯の市場には適していた。しかし、人間の歯を求める人があまりにも多くなりすぎたため、今度は生きている人間もサプライチェーンに入ってきた。貧困に苦しむ人たちは、現金を手にするため歯を売ることがあった。そしてまた、ほかの理由で歯の提供者になった人もいる。彼らはなにも、捨て身で金を工面することを選んだわけではなく、そうするしかなかったのだ。つまり囚人や、おそらくワシントンのケースのように、奴隷の立場だったのだから。これは歯科業界ではわりとよく知られた、入れ歯の暗黒史である。

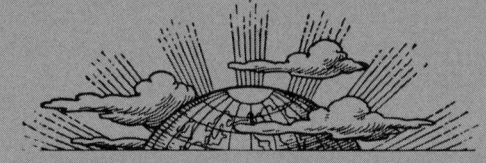

ベネディクト・アーノルドの脚

# BENEDICT ARNOLD'S LEG

## AND HOW REVOLUTION LOST ITS LUSTER
## AND CONVERTED A HERO TO A TRAITOR

残された脚だけが英雄扱い——
独立戦争の功労者、同志を裏切る

1741年～1801年

---

**イ**ギリスに寝返った男として知られるベネディクト・アーノルドは、アメリカ独立戦争の立役者のひとりでありながら、合衆国最初の悪者でもあった（当然ながら、イギリス人と、アメリカ入植者の3分の1にあたる王党派はそれを認めなかっただろう。しかし、いずれにせよ彼らは戦争に負けたのだ）。アーノルドはひどく憎まれていたため、故郷のコネチカット州ノリッジに残された手書きの出生記録には、公式に「裏切り者ベネディクト・アーノルド」と記されている。

しかし、本人のために公平を期していえば、100%の裏切り者というわけではない。だいたい90%くらいだ。では、あとの10%はなんなのか。通常、人間の脚は体全体の10%ほどである。アーノルドは裏切り者だが、脚だけは英雄扱いされていたのだ。その脚はニューヨークのサラトガ国立歴史公園で花崗岩のモニュメントになった。ブーツをかたどった記念碑には、こんな碑文が添えられている。

---

大陸軍の「もっとも輝かしい兵士」を偲んで。その人物は、1777年10月7日、この地「バーゴインのグレートウェスタン要塞」の突撃路で重傷を負いながらも、独立戦争を勇敢に戦い、アメリカ軍を勝利に導くとともに、みずからも少将に昇格した。

---

見識ある読者はお気づきだろうが、ここには「もっとも輝かしい兵士」の名前が記されていない。そう、英雄的行為を顕彰する記念碑のなかでさえ、アーノルドは独立戦争における「名もなき兵士」のままなのだ。南北戦争の元少将で軍事史家のジョン・ワッツ・ド・ペイスターが、裏切り行為以前のアーノルドに感銘を受け、名誉ある脚に帽子をかぶせた形の、名前なき記念碑を建立したのである。

　ただし、アーノルドの脚は独立戦争のどの戦いでも、とくに目を見張るようなことはなにもしておらず、ただ重傷を負ったというだけだ。そして皮肉なことに、その怪我がおそらくアーノルドに大きな不満を抱かせるようになり、ゆくゆくは英雄を裏切り者に変えてしまうのである。

　ベネディクト・アーノルドは一時期、間違いなく英雄だった。つまり、1775年4月、民兵隊を結成して、イギリス軍の砲兵拠点であるタイコンデロガ砦をわずかひと月後に奪取し、妻の死を乗り越えて、イギリス領ケベックを占領すべくカナダ遠征を指揮し、脚（あの脚）を負傷しながらも、なんとかイギリス軍の進行を阻止するまでは。彼は独立戦争における重要人物のひとりであり、イギリスの国務大臣ジャーメイン卿からは「だれよりもも野心的で危険な」アメリカ軍の野戦指揮官と呼ばれていたのだ。

　しかし、アーノルドの戦闘キャリアは1777年、サラトガの戦いのあと中断する。突撃隊を指揮していたとき、彼はケベックで負傷したのと同じ左脚の太ももに怪我を負い、馬の下敷きになった。それでも一命を取りとめ、大陸軍はおもに彼の功績によって勝利した。のちに部下の兵士が記しているように、アーノルドはその日、「まさに戦争の天才」だったのだ。

　戦場でのその天才ぶりを兵士たちは尊敬していたかもしれないが、療養中のアーノルドにしてみれば、自分はもはや大陸軍の幹部からは重用されていないと感じられた。昇進から外され、5人の下士官が彼を飛び越して昇進していった。やがて、ほかの功績者たち（バーモントの雄イーサン・アレンもそのひとり）が自分の陰口を言い、武功を横取りしようとしていると思うようになった。そして、フィラデルフィアで脚の治療をしているあいだ、民衆からも評価されていないように感じはじめた。

そう感じていたのは彼だけではなかった。大陸軍の多くの兵士たち、とりわけ将校の肩書きを持たない者は、過小評価されているという思いがあった。もしかしたら、その原因のひとつは階級主義だったかもしれない。何千人もの中産階級の男たちは民兵隊所属で、正規軍にはほとんど入れなかった。そして戦争が進むにつれて、中産階級であれそれ以外であれ、軍にとどまることを希望する人はどんどんいなくなっていった。「'76年の熱狂」[アメリカ独立戦争の愛国心をあらわすフレーズ]は「'77年の疲弊」へと進んでゆく。なんとも対照的である。最初のころは、だれもが兵士となってイギリスと戦いたがっていた。1775年4月19日、ポール・リビアがかの有名な言葉「イギリス軍がやってくる！」を伝えてまわったわずか1週間後、ニューイングランドの植民地4カ所から集まった1万6000人の兵士が包囲軍を結成した。2カ月後の6月、大陸会議の決定により、ニューイングランドの兵力が大陸軍に組み入れられた。しかし、そのわずか半年後の1776年1月、ジョージ・ワシントン将軍は早くも、大陸軍に入隊を希望する兵士がいないことに落胆する羽目になる。

　彼はジョセフ・リードに宛てた手紙にこう書いている（リードにはさらに落胆させられることになる）。「もはや志願兵だけで軍隊ができるとは考えていない」。最初のころの「レッドコート［イギリス軍の軍服］を手に入れよう」という興奮が過ぎ去ると、入植者の多くは、軍隊にいると不快な目に遭うと気づくようになった。たとえば怪我をしたり、殺されたり。軍のほうは入隊してもらうために、さまざまなエサ——現金の前払い、不動産、兵役期間の短縮、休暇の延長——を用意しなければならなくなった。そして1777年、大陸会議の発表により、兵役期間は少なくとも3年、あるいは戦争終了までのどちらか早いほう、と決まると、エサをさらに増やさざるを得なくなった。戦場に行かずにすむ裕福な「愛国者」は志願せず、そうすると兵士の大多数は資産のない独身の若者ということになり、そのほとんどは愛国的な情熱よりは特典目当てで従軍していた（ある兵士が振り返ってこう言っている。「どうせ行かされるなら、できるだけたくさんもぎ取ってやろうと思った」）。しかし、いくら報奨金を増やしても、口のうまいスカウトマンが熱心に口説いても成果はなく、ほとんどの州が1778年の終わりまでには、徴兵制へと切り替えざるを得なかった。

たしかにアーノルドの場合は、大陸軍の不平分子たちよりさらに先を行ってしまった。なかには、王党派の若い妻にたぶらかされたのだろうと言う人もいたし、ほかには、ペンシルベニア州最高執行評議会の会長ジョセフ・リードに言いくるめられ、裏切りに追い込まれたのだろうと言う人もいた。ジョセフ・リードは、アーノルドがさまざまな裏切り行為に加担しているという噂を広めただけでなく、反逆罪で告訴しようとまでしたが、それは策略に近いものだった。

　そのわずか数年後、アーノルドは実際に裏切りへと舵を切り、自身が指揮していたウエストポイント砦をイギリス軍に引き渡すことを画策したのである。ところがその陰謀は暴かれ、共謀者のイギリス軍少佐ジョン・アンドレは絞首刑に処せられた。いっぽうで、アーノルドは逃走した。つまりイギリス側に逃げたのだ。その後、イギリス軍の将軍として2度の戦闘を経験したあと、イングランドで人生を終えた。アメリカでは、かつての英雄はのけ者扱いされ、裏切り者としてのみ記憶されることになった。それでも、名誉の負傷をした脚だけはレガシーとなってアメリカに残ったのであり、そうなることは生前からある程度、予想されていた。

　というのも、何年も前、アーノルドがイギリス軍を率いていたとき、捕虜となった植民地軍の大尉に、もし自分がアメリカ側に捕まったらどんな報いを受けるだろう、と尋ねた。すると、大尉は答えた。「サラトガで負傷した脚を切り取られて戦争の栄誉とともに埋葬され、体はさらし台に吊るされるでしょう」

　かなりいい線だ。

# 大陸軍にとっての
# 最大の敵

　イギリス軍は大陸軍にとって危険な存在だった。それは間違いない。しかし独立戦争の兵士にとって、イギリス軍が最大の脅威というわけではなかった。軍隊が立ち向かうべき殺人者は天然痘だったのである。天然痘は大陸軍にもイギリス軍にも蔓延した。ただし、大陸軍のほうがはるかに大きな影響を受けた。というのも、イギリス軍兵士は予防接種を受けていたか、あるいは以前に罹患していたかで免疫を持っている者が多く、そのうえ天然痘が流行したとき、兵士全員がすぐ予防接種を受けたからだ。けれどもワシントンは当初、大陸軍に予防接種を受けさせようとしなかった。接種後しばらく戦えなくなるのを恐れたのだ。その結果、天然痘が大陸軍をなぎ倒した。流行はいつまでも収まる兆しを見せず（1775年から1782年まで続いた）、結局、ワシントンはアメリカ史上初めてとなる集団予防接種政策をとることにしたのである。

# ベネディクト・アーノルドが寝返って稼いだ金額一覧

- 6000ポンド（ウエストポイント砦引き渡しの前払いだが、策略が失敗したため減額。もし成功していたら、2万ポンド受け取っていた）
- 315ポンド（雑費として）
- 年650ポンド（イギリス軍からの年俸。1783年に平和条約が締結されるまで支払われ、その後は年225ポンドとなった）
- 2000ポンド＋（アーノルド率いるイギリス軍がバージニア州ジェームズ川でアメリカ軍の船を奪取したときの懸賞金の分け前）

　さらに、ふたり目の妻がジョージ王の命により500ポンドの年金を与えられ、子どもたち（これから生まれる子も含めて）は80ポンドの年金を与えられた。

　結論。歴史家によって評価額は異なるが、アーノルドは裏切り者として、今日のお金で5万5000ドルから12万ドルを稼いだ（とはいえ本人は満足ではなかった。寝返ったことで生じた損失を埋めるためだと言って、1785年、さらに1万6125ポンドを要求した。しかし、それはかなわなかった）。

# 17

マラーの皮膚

# Marat's Skin

AND HOW A DEBILITATING
CONDITION LED TO THE BIRTH
OF PROPAGANDA ART

煽動、暗殺、プロパガンダ、神格化……
風呂から出られないパリの革命家の一生

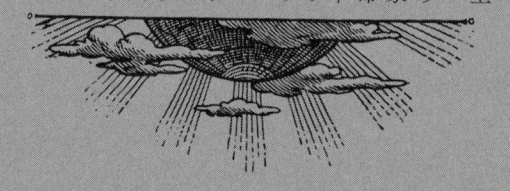

1743年〜1793年

界でもっとも有名な絵画のひとつは、浴槽に横たわって
死んでいる男性を描いた作品である。その人物が湯に浸
かっていたのは、皮膚に痛みがあったからだ。絵は《マ
ラーの死》と名づけられ、いっときフランス革命を盛り
上げるとともに、ひとりの殉教者を生み出した。まるで現場検証の写真
のようでありながら繊細な宗教画のようでもあるこの絵は、フランス革
命の指導者ジャン゠ポール・マラーが暗殺者に刺された直後を描いたも
のである。

　暗殺が起きたのは、マラーが自宅で風呂に入っていたときだ。彼は浴
槽に板を渡して書類を置いた「オフィス」で仕事をしていた。その夏は
マラーにとってつらい時期だった。慢性の皮膚病が悪化したため、権力
を掌握した革命政府からも、国民公会（フランス君主制を打倒し、王を
処刑したばかりだった）からも身を引かざるを得ず、大衆の前からは姿
を消すことになったのだ。マラーはほとんどの時間を浴槽で過ごしてい
た。ヒリヒリする皮膚の痛みや痒みから逃れられる唯一の場所だったか
らだ。古くからの友人や支持者たちは彼を避けるようになっていた。過
激な方針を強いる──あるいは実際に首を刎ねる──ような革命のやり
かたは時代遅れになりつつあったのだ。

　それでもなお、彼は浴槽から国民公会宛てに手紙を書いて、新憲法に

影響を及ぼそうとし、大衆の敵を倒せと呼びかけた。しかし、かつての同志であるジャコバン派は、もはや流血を伴うやりかたから距離を置こうとしていた。どうやら、フランス革命を牽引してきた者のひとりとして、マラーの出番は終わったようだ。いずれにせよ、もはや演説をして大衆を鼓舞することもできず、浴槽に浸かっているしかないとすれば、彼にいったいどれほどの影響力があっただろう。

　しかし、このときマラーは知るよしもなかったが、フランス革命の行く末に、やがて本人が思いもよらないほどの影響力を持つことになる。そして、否応なく浴槽にいたことが、実のところその大きな部分を占めるのだ。

　1793年7月13日の夜、シャルロット・コルデーという若い女性が、浴槽にいるマラーを訪ねてきて、逃亡した活動家たちについて情報があると伝えた。それはマラーたちの側がジロンド派と呼ぶ、暴力的革命からは背を向けた穏健派メンバーの情報だった。コルデーがメンバーの名前をひとりずつ挙げ、マラーはそれを書きとめていった。そのとき、彼女は突如コルセットからキッチンナイフを取り出してマラーの胸を刺し、次に頸動脈を切った。傷口から血が勢いよく流れ出る。「助けてくれ！」マラーは隣の部屋にいた妻を呼び、浴槽に倒れ込んで死んだ。

　その4日後、コルデーは処刑された。マラーの家から逃げ出すすきがなかったからだが、いずれにせよ、逃げるつもりもなかった。彼女自身ジロンド派のシンパで、マラーの過激なやりかたではフランスに内戦が起きると考え、彼を暗殺したのだ。「わたしは10万人を救うためにひとりの男を殺したのです」とコルデーは裁判で語った。浴槽でマラーを殺したのは、計画をとっさに変更したからだ。そもそもは、人の集まる場所で彼を暗殺したあと、自分は群衆に殺されるのが望みだった——わざと警官に殺される手法の、いわば18世紀版だ。そうやって群衆に殺されれば、ジロンド派の殉教者になれる。しかしそうはならず、コルデーはかえってマラーを殉教者に、そして急進的なジャコバン派が勢力を結集する契機にしてしまった。

　生前のマラーは、殉教者になるようなタイプではなかった。もともとは医師で（それもなんと、フランス宮廷の侍医）、アイザック・ニュートンに異議を唱えた科学者でもあり、科学アカデミーから軽んじられたと

きは、腹を立ててもいた。やがて政治家に転向し、フランス革命の種が撒かれつつあった1788年、46歳のときにフルタイムの急進主義者になり、革命の主導者としてたちまち名を知られるようになった。1789年9月に自身の新聞『人民の友』を創刊すると、その影響力が強まった。貧しい人びとの強力な味方であった彼は、大衆がみずからの権利を求めて闘うよう扇動する記事を書いた。また、彼は革命家の革命家でもあり、貴族だけでなく革命の意志が足りない革命家をも激しく非難した。手を緩めることはいっさいなく、1790年7月の論説にはこう書いている。われわれは反革命派に「C'en est fait de nous!（やられてしまった！）」。「5〜600人ほど首を刎ねれば、安らぎと自由と幸福が訪れただろうに」

　暴力的革命を説くことは危険を伴う。現にマラーは頻繁に身を隠さなければならず、パリの地下墓地や下水道に何度となく逃げ込んだ。そこはだれにとっても快適な場所ではないが、とりわけ痛みを伴う慢性の皮膚疾患を持つ人間にとっては苦痛だった。マラーはあきらかに重症の皮膚病を患っていたため、強い痒みやヒリヒリする痛みがあり、そのほか不眠症、絶え間ない喉の渇き、妄想症もあった。医師も歴史家も、はたして彼がこの病気に罹ったのは下水道に身を隠していたせいなのか、それとも下水道は悪化要因にすぎないのか、はっきりとはわからなかった。たしかなのは、症状の始まりが1788年から1790年のあいだであることと、気持ちが休まるのは風呂に浸かっているときだけだったことで、それがあの7月13日へとつながっていく。

　マラーの不名誉な死は、ジャコバン派によって「フランスのゴルゴタ」に祭り上げられ、たちまち考案された「マラーを殉教者に」キャンペーンの目玉となった。マラーが死んだ──しかも敵であるジロンド派の手にかかって──ことで、急進的なジャコバン派は、殺害前には彼から距離を置いていたにもかかわらず、いまやマラーを利用するようになった。死者となったマラーは、生前よりもはるかに役に立つ存在だった。たとえば、以前よりずっと静かになった。そこで、彼らはマラーを、気高き最初の殉教者として神格化する仕事に取りかかった。革命家、反貴族主義、反宗教の救世主として。

　当時の一流画家、つまり事実上は革命政府のお抱え画家だったジャック゠ルイ・ダビッドがマラーの葬儀をプロデュースし、暗殺場面をキャ

ンバスに残すよう依頼された。葬儀は6時間続き、最後はパリの通りを行進し、数分おきに大砲が鳴り響いた。マラーの遺体は最初の埋葬場所から、著名人が眠るパンテオンへと移された。マルキ・ド・サド（当時、本人は市民サドと呼ばれることを好んだ）がその様子を絶賛し、メシアへの神格化を強く後押しすることになった。「まるでイエスのように、マラーは人民を、ただ人民だけを心から愛した。イエスのように、マラーは王や貴族や司祭や悪党を憎み、イエスのように人民の敵と闘い続けた」

イエスとのつながりは、ここからさらに続いていく。1793年10月に完成したダビッドの絵には、殺害シーンが描かれていた。浴槽に板が渡され、その上に紙とペンが置かれ、マラーは浴槽から身を乗り出している。ところが、このマラーは、そもそも浴槽にいる原因となった、あばたと引っかき傷だらけの中年男ではない。それどころか、ピカピカの肌をした青年で、そのポーズはカラバッジョの《キリストの埋葬》やミケランジェロの《ピエタ》のイエスを思わせる。この絵はプロパガンダ・アートとして依頼された最初のもので、そのあとロベスピエールやほかの指導者の依頼により、ダビッドの弟子たちが何枚か複製を描いて、そのイメージを、そして革命的な言葉を広めた。神格化はこのあともまだまだ続く。教会では聖人や十字架の代わりにマラーの胸像が置かれた。マラーを主題とした詩や演劇も作られた。マラーはフランスにおける新たな政治的聖人のような存在になったのである。

しかし名声というのは、たとえ革命の聖人であろうと、とりわけ反革命派が勢いを増しているときには、はかないものだ。マラーの暗殺から1年あまりたったころ、クーデターが起きた。「テルミドールの反動」である。ジャコバン派は立ち去り、「聖なる殉教者マラー」はたちまち「嫌われ者マラー」になってしまった。1795年2月には、その遺体がパンテオンから掘り出された。1795年2月4日、『ル・モニトゥール・ユニベルセル』紙が掲載した記事を読めば、大衆の目にマラーがどれほど墜ちた存在とみられていたかがよくわかる。子どもたちは彼の胸像を持って、嘲りながら街を歩きまわり、モンマルトル（わずか数カ月前にモン・マラーと改称されたばかりだった）で「Marat, voilà ton Panthéon!（ほらマラー、これがおまえのパンテオンだ！）」と叫んで、皮肉にも彼にふさわしい場所である下水道へと投げ入れたのである。

# その後、浴槽は どうなった？

　マラーの暗殺後、その浴槽——ボタンブーツのような形で、銅で裏打ちされている——は自宅から姿を消し、強力なシンボルは革命から遠ざけられることになった。

　死の床となったこの浴槽は、マラーの妻が隣人に売ったと考えられている。そして、その隣人もだれかに売り、結局は1862年、ブルターニュ教区司祭の手に渡った。『ル・フィガロ』紙の熱心な記者が行方を追跡してたどり着いたとき、司祭は自分が座っているこの品物が、教区に役立ちそうな金のなる木だと気づいた。司祭はまずカルナバレ美術館に打診してみたが、断られた。美術館側にしてみれば、金額が高すぎるのと、ほんとうにマラーの浴槽なのか確信が持てなかったからだ。次はマダム・タッソーの蠟人形館に持ちかけると、10万フランでのオファーがあったものの、どうやら司祭の売却確認通知が配達途中で行方不明になったらしく、タッソー側は興味を失った。そして、あといくつかのオファー（アメリカの興行師P・T・バーナムからのオファーを含む）も少額すぎて断ったあと、最後に司祭は浴槽をわずか5000フランでグレバン蠟人形館に売却した。そこでは、マラーの死を再現した（かなり不気味な）展示で、今なお主役を務めている。

# その後、絵は
# どうなった？

　ロベスピエールが逮捕され、処刑されたあと《マラーの死》はもはやそれまでのような「名画」ではいられなくなったものの、運命はそのあと変わっていく。作者のジャック゠ルイ・ダビッドは絵を返してくれるよう求めたが、1795年、彼自身も革命に関与したとして起訴されてしまった。そして、彼がベルギーに亡命したことで、絵はほぼ忘れ去られた。ところが19世紀半ば、この絵は再発見され、とくに詩人で批評家のシャルル・ボードレールによってふたたび有名になった。その後、ピカソやムンク、そして詩人や作家など、数え切れないほど多くの芸術家にインスピレーションを与え続けてきた。演劇『マラー／サド』もここから生まれた。

# 18

## バイロン卿の足

# LORD BYRON'S FOOT

### AND

## THE BIRTH OF THE MODERN-DAY CELEBRITY

徹底したイメージ戦略で生まれた
悩み多き「正統派アイドル詩人」

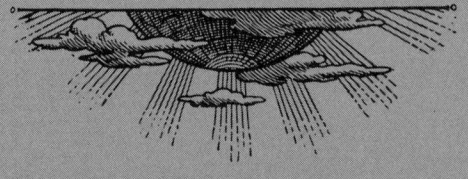

1788年〜1824年

 **女が歩くその美しさは夜を思わせる**──イギリスの詩人ジョージ・ゴードン・バイロンはそう書いた。しかし、文学界のセレブであり、時代の寵児（ちょうじ）であり、よく知られたロマン主義運動の先導者でもあったバイロンといえども、愛（いと）しきミューズと踊るとなれば、さぞかし困ったことだろう。

　というのも、バイロン卿には生まれつき足の障害（内反足だったという意見が多い）があり、うまく歩けなかったからだ。親友のエドワード・トレローニーは、ちょっと変わったその歩きかたをこう表現している。「彼は部屋に入ってくるとき、まるで走っていて止まれないような格好で、それからいいほうの足をぐっと前に出し、体をのけぞらせてバランスを取った」。それを見られて、バイロンはひどく恥ずかしい思いをした。だから、二度と自分の足をだれにも見られまいとしたのだろう。多くの愛人たちによれば、彼は朝が来る前に、そっとベッドを離れていったという。

　このことが彼の創作にどれほど影響を与えたかは想像するしかない。著名人のなかにも先天的ないわゆる内反足（足が内側にねじれている）の人は多い。たとえば、古代エジプトのファラオだったシプタハ（もしかしたらツタンカーメンも）、作家のウォルター・スコット卿、悪名高いナチスの宣伝大臣ヨーゼフ・ゲッベルス、イギリスの俳優ダドリー・ム

ーア、アメリカンフットボールの元選手トロイ・エイクマンなど。その多くは、精神的な影響が比較的少なかったように思える。しかしバイロンの場合、重症だったことや彼自身の性格のせいで、状況はまったく違っていたようだ。同時代の辛口批評家ウィリアム・ヘイズリットは無情にも、バイロンは「不格好な足をしていて……その復讐（ふくしゅう）のために詩を書いた」と言っている。バイロン自身、少なくとも部分的にはその意見に同意していたらしい。現に、彼は未完成の自伝的戯曲『不具の変身』（1824年）のなかで、脊柱後弯症と「悪魔の蹄（ひづめ）」を持つ主人公が、みずからの障害によって創作意欲をかき立てられる様子を描いている。「ぎこちない動きのなかに力がみなぎり　だれも成しえないことを成しとげる」

　バイロン自身の「悪魔の蹄」は、創造のヤギ［割れた蹄を持つヤギは悪魔の象徴とされた］として、そして深い苦痛の源として、終生その役割を果たした。友人で初期の伝記作家であるブレッシントン伯爵夫人によると、バイロンは足を引きずることをハロウ校の仲間にからかわれて悩んでいた。さらにつらいのは、母親から「びっこのガキ」と1度ならず呼ばれたらしいことだ。彼は自分のことをよく「le diable boiteux（フランス語で「足を引きずった悪魔」の意）」（ル・ディアブル・ボワトゥ）と呼び、「畸形が心のなかに生み出す苦々しさは、みずからを餌食として、世界への攻撃を強めていく」のであり、それを止めることはできない、と言っている。

　しかし、バイロンのもっとも苦々しい部分こそ、わたしたちにとってはもっとも崇高な部分である。36年という短い生涯で、彼は『ドン・ジュアン』『チャイルド・ハロルドの巡礼』『ヘブライの歌』といった古典詩を書き上げただけでなく、中世のダーク・ロマンスやゴシック芸術、産業革命以前のアート界を推し進めたロマン主義運動の先導者にもなった。彼は貴族院議員のときには貧しい人びとの権利を擁護し、ギリシャでは独立運動を支援してトルコと戦った（そしてその地で悲劇的な死をとげた）。また、孤独な人間と宇宙との対峙という哲学的ジャンルをほぼ独力で作り上げた。これは、ロマン主義の情緒面を哲学的に解釈したものだ。彼はそれを地で行くように、自身の悲劇的哲学を生き抜いたのである。

　バイロン卿はみずからの二律背反——驚くほどハンサムでありなが

ら、障害という公然の秘密を抱えていたこと――を利用して、新しいロマン主義運動のスポークスパーソン（こんな肩書きはまだなかったが）となった。スーパースターのまさに先駆けである。みずからの文学的人物像を作り出して巧みに操り、「バイロン的ヒーロー」という名前までつけられたのは彼が初めてと言ってもいいだろう。彼には創造に必要なすべてがあった。並はずれた才能、資産、頭の回転の速さ、高貴さ、人知れぬ不幸による苦悩、そして言うまでもなく外見のよさ。仲間の詩人サミュエル・テイラー・コールリッジは、かつてこう記した。バイロンの顔は「とても美しく、これまで見たこともない容貌で……その目は太陽への入り口のようだ」。

バイロン自身、ハンサムな顔の威力を知っていたのはたしかだ。だから、芸術作品や出版物に美しく描かれるよう工夫していた。それは、パパラッチ以前の時代にはさほど難しいことではなかった。出版社のジョン・マレーには、実物より劣る絵や彫刻は処分するよう指示し、自分が気に入った作品は承認した。もちろん、実物より格段上に描くよう注文をつけていた。なかでも注目すべきは、画家トーマス・フィリップスが描いた有名な絵で、バイロンはアルバニアのキルトと、刺繍入りのマントとベルベットのベスト――彼はヨーロッパ旅行でこうした派手な衣装を購入していた――を身につけている。この絵のバイロンはきわめてロマンチックな山賊ふうで、ハリウッド映画に出てくるファンタジックな山賊よりさらに非現実的だ。

山賊の役を演じるハリウッドの名優さながらに、バイロンもダイエットをし、下剤まで使って体重を抑えていた（もともとずんぐりした体型なので必死で痩せた）。そのようにして、彼は非常に多くの、そしてきわめて多様なファンを魅了し続けた。憂いを秘めたハンサムなロマン派詩人には、予想にたがわず多くの女性崇拝者がいて、サインや髪の毛をなんとかして手に入れたがり、とりわけロマンチックな密会を望んだし、彼もそれをほしいままにした。典型的な「悪い男」であり、愛人女性の言葉を借りれば「イカれたワルで、知り合うと危ない」人物なのだ。

バイロンは熱狂的なファンから送られた手紙の多くを取っておいた。筋金入りのセレブがそうであるように、おそらく彼も賞賛の言葉を楽しんでいたのだろう。オックスフォードの歴史家が2008年に発表したバ

イロンのファンレター研究から、そのことがうかがえる。手紙の内容自体はきわめて官能的で、ときに（建前上は）詩的である。ファンのひとりは、彼の肖像画を見つめて「体を震わせ」、不朽の名作とは言いがたいこんな詩を書いた。

---

なにゆえ、わが胸は喜びにほてったのだろう。讃えるべき汝<sup>なんじ</sup>の才能ゆえか。
なにゆえ、読むたびわが乳房は感じるのだろう。熱く燃える炎を。

---

　ファンによっては、バイロンのなかに自分と似たものを見いだし、傷ついた心を「癒やして」あげようとする人もいた。バイロンはどんな手紙もすべて読んだし、そこには実用的な面もあった。というのも、手紙はフォーカスグループのデータとして使えたからだ。つまり、手紙を読むことで、ファンからの反応や読者による評価を把握することができたのである（彼は批判的な書評も熱心に読み、外国にいるときは出版社にすべての手紙を送らせた）。バイロンはそっけなく振る舞うロマンチックなヒーローを演じながらも、実際は多くのファンレターを保管し（ファンのほうは親密な内容が漏れるのを恐れて、読んだら燃やしてもらいたがった）、自身の作品のなかでもファンに応えていた。要するに、ある程度はファンが読みたいものを書いていたのである。
　しかし、自分を崇拝する女性と密会したり、ファンレターを保管したりはしていたものの、バイロンの情熱は少しずつ男性へ、とりわけ青年へと傾いていき、彼の死後、遺言執行者や出版社はなんとかそれを隠蔽しようとした。たとえば、ギリシャの少年に捧げた愛の詩は、だれに宛てたのでもない「単なる詩のスケルツォ」とされた。そうなのだ。もしかしたらバイロンが「女癖の悪い男」を地で行くようなことをしたのは、強い欲求に駆られてというよりは、正しいセレブのイメージを保つためではなかったのか（女性に宮廷の小姓ふうの格好をさせるのが好きだったという事実はなにかを暗示している）。ともあれ、性に抑圧的だった1800年代のイギリスでは、同性愛は秘すべきものとされていた。バイロンは性的に「行きすぎ」たため、最後には追放されてしまったのだが、当時の記録には、「背徳的な".”（原文ママ）が原因で」などと書か

れていた（同性愛という言葉を使えないため、"."であらわしたのだ）。

　これが、元祖バイロン的ヒーロー物語の暗部である。その性的指向や、本人の言う「魂を蝕む」障害をつねに抱えていたことを考えれば、ただ単純に幸せになったり、自分らしくいたり、名声や文学的能力を享受したりすることは難しかった。彼は怒りっぽくなり、放蕩にふけり、酔っ払い、苦悩に苛まれた。現代の心理学者はこうした昔ながらの徴候を「醜形恐怖症」と呼ぶ。これは、自分の身体的な特徴を過度に思い悩む精神疾患だ。たしかに、苦悩があったからこそ世界的な名詩が生まれたのだが、悲しいことに、バイロンにしてみればそれだけではじゅうぶんでなかったのである。

# バイロンの足を
# 医学的に解明する

　バイロンの言う「魂を蝕む」障害は、単なる内反足よりもはるかに重いものだったようだ。内反足の場合は1700年代後半でも、添え木や伸縮運動や矯正ギプスによってかなり治療ができた。それなら、バイロンはなぜ少しも治癒しなかったのだろう。

　1959年、イギリスの有名な医師デニス・ブラウンは、バイロンが着用していた特製の靴と、ベルト固定式のゲートルを調査した。どちらも、バイロンの出版人の子孫が所有していたものだ。バイロンの靴は細長く、ゲートルは異常なほど太かった。

　ブラウン医師の結論によると、バイロンは内反足ではなく形成不全症で、足とふくらはぎの筋肉がじゅうぶん発達していなかったという。言い換えれば、腱だけでなく足とふくらはぎも正常よりずっと小さく、幅が狭かったのだ。

　実際、バイロンのふくらはぎはおそらく「グロテスクなほど細かった」（医師の言葉）と思われる。そのため、厚いパッド入りゲートルの上からズボンを穿き、正常な脚に見せていた（いくつかの記述によると、見た目を気にするバイロンは、泳ぐときもこのパッド入りゲートルを着けていたという）。足のほうは、「こうした形成不全症タイプの足はつねにこわばっているので、足首の動きが悪い。だから足を引きずって歩くことになり、注意深く観察していた人間がそのことを記録していた」とされる。

# バイロンは
# 元祖ドラキュラ伯爵？

　ある暗い嵐の夜だった。いや、それは幾晩か続いていた。
　いつになく暗く、風が激しく寒い６月、レマン湖畔にバイロンが借りた別荘で、５人の男女が過ごしていた。バイロン卿、新たな友人である詩人パーシー・ビッシュ・シェリー、シェリーの婚約者メアリー・ウルストンクラフト・ゴドウィン、その腹違いの妹クレア・クレアモント（一時期、バイロンの愛人だった）、バイロンの主治医ジョン・ポリドリ。別荘には恋の駆け引きが渦巻いていた。ポリドリはメアリーに色目を使い（彼女は応じなかった）、クレアはバイロンに色目を使い（バイロンは応じたものの半分投げやりだった）、そしてシェリーは日ごとに苛立っていった。そこでバイロンが、暇つぶしに全員で幽霊の話を語ったり書いたりしないかと提案し、それからのいく晩か、みなで幽霊の話や詩を朗読していった。メアリーは悪夢を見たあと、のちに不滅の小説となる『フランケンシュタイン』の着想を得た。バイロンは吸血鬼物語の先駆けとなる自作『断章』を紹介した。ポリドリはバイロンの作品に触発され、みずからものちに吸血鬼物語を書き上げる。その名も『吸血鬼』で、主人公の吸血鬼ルスブン卿はバイロンにそっくりだ。こうしてロマン主義的、貴族的な吸血鬼が誕生した。それから何十年かあと、若きブラム・ストーカーが文学としての吸血鬼を創作する。それはルスブン卿と串刺し公ブラドとを合わせた人物、つまりだれもが知るドラキュラ伯爵である。

# 19

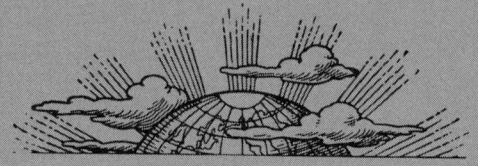

ハリエット・タブマンの脳

# HARRIET TUBMAN'S BRAIN

### And How an Act of Violence Against an Enslaved Person
### Contributed to the Eventual Downfall of Slavery

頭蓋骨を砕かれて見えはじめた、
奴隷制廃止への一条の光

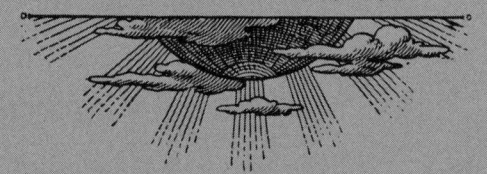

830年代半ば、ミンティーという10代の奴隷少女が、畑から逃亡した奴隷を捕まえてくるよう監視員から命じられ、それを断った。激怒した監視員は、重い鉄の塊を振り上げ、ミンティーに投げつけた。そのときのことを彼女はこう語っている。

　鉄の塊がわたしの頭蓋骨を直撃し、巻いていたショールを引き裂いて頭にめり込んだのです。わたしは血を流し、失神して家に運び込まれました。でも、わたしにはベッドも横になる場所もなにもなかったので、織機の長椅子に横たえられたままでした。その日ずっと、そして次の日も……やがて、また仕事に行ったのですが、働いていると顔に血と汗が流れてきて、目が見えなくなりました。

　南北戦争前のアメリカ南部では、奴隷にこういうことが起きるのは決して珍しくなかった。しかし、彼女の場合、結果は珍しいものになった。脳を損傷したおかげで、この少女は「地下鉄道」の「車掌」ハリエット・タブマンとして後世知られるアイコン的女性になったのである。

　鉄を投げつけられて、タブマンの頭蓋骨は砕けた。現代の神経学者によると、頭蓋骨が砕けたことで共感覚がもたらされたのだという。共感

覚とは「ひとつの感覚経路または認知経路の刺激が、別の感覚経路または認知経路の自動的、無意識的な経験へとつながる知覚現象」である。専門用語を使わずにわかりやすくいえば、ハリエット・タブマンは音を聴きながら映像も見えるようになり、しかも正気を保っていたのだ。それによって、彼女は信仰を深めると同時に、自分には未来を予測する能力のような超自然的な力があると信じるようになり、やがては、黒人奴隷の脱出を助ける「モーセ」[預言者モーセは古代エジプトで奴隷となっていたイスラエル人をカナンの地へと導いた]になっていったのである。

　脳損傷によってタブマンにあらわれた症状は、激しい頭痛、ナルコレプシー[突然強い眠気に襲われて眠り込んでしまう病気]、鮮明な夢などだが、なかでも重要なのは、現代の神経学者によれば「欠神てんかん」で、この発作が起きると数秒間、意識を失う。タブマン自身はその症状をごく簡単に説明している。明るい光と色鮮やかなオーラが見えて、どこからともなく声が聞こえてくる。そのいくつかは神様の声だと思う、と。彼女はそれを宗教的体験と捉えていた。なぜなら、夢とともにやってくるその経験は、これまで繰り返し味わってきた苦しみの代償だったからである。

　頭蓋骨が砕ける以前のタブマンの人生は、悲しいことに奴隷としてはよくあるものだった。タブマンは、奴隷の料理人ハリエット・グリーンと、メリーランド州の熟練した奴隷（のちに解放される）の木こりベン・ロスとのあいだに生まれ、アラミンタ・ロスと名づけられた。奴隷の子どもの例に漏れず、彼女も幼いころから働かされた。わずか5歳で夜間のベビーシッターとなった。赤ん坊がおとなしくしているよう、絶え間なく揺りかごを揺らしたり、腕に抱いたりしていなければならなかった（もし赤ん坊が泣けば、屋敷の女主人がやってきてタブマンを鞭打った。だから、洋服を重ね着して鞭の痛みを減らすやりかたも覚えた）。8歳のときには、腰まで水に浸かりながら、罠にかかったマスクラット[北米大陸原産で水辺に生息するネズミ科の動物]を集める仕事を与えられ、その後、また家事労働に戻った（のちに語ったところによると、屋外で働くほうが好きだったのには大きな理由があった。きびしい女主人たちの鞭から逃れられるからだ）。そして12歳から14歳までのどこかで、頭蓋骨が砕けるという、人生を変える事件が起きた。

　それから少し飛んで1849年、当時20代だったタブマンは、もうひと

つ人生が変わる出来事に遭遇する。屋敷の主人が亡くなったのだ。それ以前に、タブマンは自由黒人のジョン・タブマンと結婚していた（ファーストネームもハリエットに変えていた）ものの、まだ奴隷のままだった。主人が亡くなったことで、よそに売られる可能性が出てきた。そうなれば、夫とも両親ともきょうだいとも引き離されてしまう。また、もし子どもができれば、その子も当時の法律に従って、彼女を買った人物のものになるとわかっていた。今こそ逃げるべきだ、とタブマンは決心した（夫は残ることを選んだ）。

このときに助けられた経験から、タブマンは逃亡用ルートである通称「地下鉄道」の存在を知った。これは、自由を求めて北部へ逃れる奴隷を助ける隠れ家や支援者のネットワークのことを指している。タブマンは比較的安全なフィラデルフィアへとたどり着いた（このころ奴隷捕獲人は、逃亡奴隷や、奴隷廃止州から来た自由黒人を見つけると、ひとり残らず捕まえていた）。こうして、タブマンの新たな仕事が始まった。共感覚を伴う宗教的洞察力に駆り立てられ、助けられて、奴隷たちを自由へと導いたのである。その後の10年間、彼女は何度もメリーランド州とデラウェア州へ出向いて、多くの人びとを解放した。その数は300人という説もあれば、70人という説もあり、正確な数字はだれにもわからない。というのも、彼女の人生はまるで伝説や神話のように粉飾されていったからだ。それでも、基本的な事実ははっきりしている。奴隷たちはタブマンのおかげで自由になった。両親ときょうだいを含む何人かは彼女が直接的に解放へと導き、ほかは間接的に、彼女の指示と道順に従って安全な家へとたどり着いた。そのほかの人たちは、彼女のやりかたに触発されてみずから行動を起こした。

「地下鉄道」の導き手である「車掌」として驚くほどうまくやれたのは、自分自身のビジョンと夢のおかげだとタブマンは信じていた。なぜなら、洞察力や夢によって、どのルートを取るべきか、どのルートを避けるべきかが直感で「わかった」し、それが功を奏したからだ。本人はこう言っている。「わたしは8年間、『地下鉄道』の『車掌』でした。こんなことを言える車掌はほとんどいないでしょうけれど、わたしは列車を脱線させたことは1度もないし、ひとりの乗客も失ったことはありません」

これは、南北戦争前のアメリカにあっては、かなりの偉業である。というのも、国じゅういたるところで、武装した奴隷捕獲人たちが、高い懸賞金のかかった逃亡奴隷を捕まえようとうごめいていたからだ。その後、彼女はみずからのパワーを利用し、スパイや偵察兵として北軍を助けた。記憶力は並はずれていたし、「地下鉄道」の「車掌」だった経験から地理的な情報にも詳しく、将校たちを感心させた。

　戦後、タブマンはアップステート・ニューヨークに定住し、そこで新しい夫と農業を営んだ。そして、女性参政権運動のパイオニアとなり、貧しい黒人高齢者のための施設を作った。年齢を重ねるにつれて少しずつ衰弱していったが、姪孫によると、亡くなった日にはまたパワーが戻ってきたという。ほとんど助けなしにベッドから起き上がり、おいしそうに食事をして、心から愛していた「高齢女性の家」を部屋から部屋へ歩いてまわり、自分のベッドに戻って最後の眠りに就いたという。それがほんとうかどうかはともかく、いかにもタブマンらしい。意志はすべてに打ち勝つと彼女は信じていた。どれほど不可能に思えても、それがみずからの使命であれば必ず勝つと信じてタブマンは取り組んだのである。

# 頭を打って天才に――
# 獲得性サバン症候群

　一部の神経学者によると、傷害を負ったタブマンの症状は、脳の外傷によって特殊な才能があらわれる獲得性サバン症候群だという。先天的な自閉症スペクトラムや、早い時期からの神経疾患に伴うサバン症候群そのものは非常に稀で、およそ100万人に1人の割合である。そして、後天的に突然あらわれるタイプのサバン症候群はさらに稀で、これまで記録されているのは約50例にすぎない。このタイプはたいてい外傷性脳損傷のあとに起こるが、脳卒中後に起こる場合もある。

　じゅうぶんな裏づけがある症例のひとつとして、ウィスコンシン州医学会が引用したケースでは、10歳の少年が野球のボールを受けて意識を失ったあとに起きている。意識を回復したとき、少年の脳には変化がみられ、驚くような能力を獲得したことを本人が悟った。新たな才能にはいくつかあったが、なかでも突出しているのは、即座に、そしていとも簡単に、暦の計算ができることだった。カレンダーを見ることなく、ある特定の日が何曜日かをたちまち言い当てることができたのだ。

# 事実か伝説か？
## 史料の正確性の問題

　歴史上に残る有名人の多くがそうであるように、ハリエット・タブマンの人生をめぐっても、たくさんの神話や、信憑性の怪しい記述がつきまとっている。アフリカ系アメリカ人研究の教授で伝記作家でもあるミルトン・サーネットは、タブマンのことを「アメリカでもっとも順応性のあるアイコン」と呼んでいる。というのも、彼女に関するストーリーは、その名声を利用しようとする人たちによってたびたび変えられてきたからだ。たとえば、2008年のアメリカ大統領民主党予備選挙で、ある作家は、クリントンではなくオバマ支持の女性たちを非難する際、タブマンの言葉を引用した。「わたしは何千という人たちを救えたはずだ。自分は奴隷なのだと本人にわからせることさえできていれば」。たしかによい言葉だが、どうやらタブマンはそんなことを言っていないらしい。サーネットによれば、これは捏造された伝記からの引用だろうという。

　事実とフィクションがごちゃ混ぜになっているという問題に加えて、タブマンは読み書きができなかったため自伝を書いたことがないという事実（これは真実）もある。そのため、彼女の人生についての記述には、現代のものでさえ、伝記作家たちの意識的、無意識的なバイアスが入っている。たとえば、彼女の人生を伝える重要な情報源は

1886年に書かれた『ハリエット・タブマン──黒人奴隷たちのモーセ』という本で、これはタブマンが作家サラ・ブラッドフォードに語った話をもとにしている。しかし、白人であるブラッドフォードは、回想のなかのいくつかの部分を、とくに最終（決定）版で書き直している。ジーン・ヒュームズ教授の論文によると、ブラッドフォードはタブマンが主人をからかっていたという話を削除した（《I'm Bound for the Promised Land（わたしは約束の地へ向かう）》のような歌を主人の前で歌っていたのは、逃亡を企んでいるという裏の意味が主人には理解できないとわかっていたからだという一節）。ブラッドフォードが文章に手を入れたのは、おそらく善意によるものだろう。人種差別主義が戻ってきた時代だからこそ、多くの白人読者に読んでもらいたいと願ったのだろうが、それではタブマンの人物像が正確に示されなくなってしまう。ブラッドフォードは最終版でこんな記述も削除している。「タブマンは『アンクル・トムの小屋』についてこう言った──『アンクル・トムの小屋』を朗読で聴いたけれど、作者のストウは、わたしが深南部で目にした奴隷のほんとうの姿を描いていないわね、と」

# 20

ベル一家の耳

# THE BELL FAMILY'S

# EARS

And an Obsession with Hearing
—and Not Hearing

OR

A Quest for Visible Speech and
What It Gave the World

失われた聴覚はどうカバーする？
史上最強の利器が誕生するまで

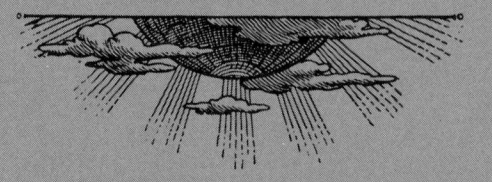

耳の話をたっぷりとお聞かせしよう。これは歴史に残る耳についての話であり、発明家アレクサンダー・グラハム・ベルの耳、そして彼の父、祖父、母、妻の耳についての話だ。もちろん、死者の耳もそこに含まれている。そのすべてが、聞くこと（と話すこと）を大きく変えた発明、つまり電話へとつながっていくのである。

　まずはアレクサンダー・グラハム・ベルの祖父、アレクサンダー・ベルの耳から始めよう。音を聞く（そしてそれを再生する）のは、ベル一家の家業と言ってもよいかもしれない。祖父のアレクサンダーは音声学と弁論術を確立した権威で、演説にも熱心だった。たとえばこんな演説だ。「おそらく人間ほど敬意を持って神の似姿に作られた存在はないでしょう」。ただ、この演説には熱心に反対する人のほうが多いに違いない。

　祖父ベルは、人間の声に対する興味を息子（長年にわたり父親の助手を務めた）アレクサンダー・メルビル・ベルに伝えた。メルビルはエジンバラ大学とロンドン大学で弁論術の著名な専門家になり、「ベルの視話法」を開発した。これは耳の聞こえない人が話し言葉の音を口で再現するための音声記号である。整然としていかにも便利そうなシステムで、この音声記号は、ある特定の音を出すために喉、舌、唇をどの位置に

置くか、詳細に記している。とくに対象となるのは、話をしたい聴覚障害者だ。というのも、彼らは自分の出している音を聞くことができないからである。

「ベルの視話法」は当時、議論が巻き起こる大きなきっかけとなり、それは今日もなお続いている。つまり、聴覚障害児に話すことを教えるのか、手話を教えるのか、それとも両方教えるのかという問題だ。1800年代初め、アメリカでは手話に力を入れる傾向があった。1817年、のちにアメリカ聾学校となる施設がコネチカット州ウエストハートフォードに設立され、アメリカ手話（ASL）が開発された。しかし1800年代半ばには状況が変わり、聴覚障害者は手話を使うよりも話すべきだという考えかたが主流になった。ベル一家は、この「口話か手話か」というますます激しくなる論争の前線かつ中心にいた。そしてその過程で、一家のひとりが卓越した会話機、つまり電話を発明することになる。

1844年、メルビルはイライザ・シモンズと結婚し、まもなくイライザを母として生まれてきたのがアレクサンダー・グラハム・ベル（そう、彼こそその人）である。母親は聴覚検査の被験者として、息子に直接的な影響を与えた。というのも、彼女には重い聴覚障害があり、粗雑な耳トランペット［音波を耳に届けやすくする漏斗型の補聴器］の力を借りて、ようやく切れ切れに聞こえる程度だった。アレクサンダーは、母がもっとはっきり聞こえる方法を模索しはじめた。母が耳をピアノに押し当てた状態でピアノを演奏したり、頭蓋骨を反響装置にして彼女の額に直接話しかけたりした。あきらかにこのときから、アレクサンダーは電話という離れた声を聞く機械の発明に向かって動きはじめたのである。

いっぽう父のメルビルは、「ベルの視話法」を粘り強く広め続けていた。最初はイギリスで、次は家族で移り住んだ北米で。かたわらには（いまや一心同体の）息子のアレクサンダーがいた。息子自身も弁論術の専門家になっていた。父も息子も、聴覚障害者には手話よりも口話のほうが断然よいと考えていた。

その間、聴覚障害者のコミュニケーションはどうあるべきかという論争は高まっていったが、そこには負の側面もあった。アメリカには非英語圏からかつてないほど多くの移民が押し寄せ、なかには移民を同化させようとする人たちもいた。彼らにとって身振り手振りで意思を伝える

ASLは事実上、英語とはいえないため、「非アメリカ的」な、廃止すべきものだった。実際、ASLは（一時的に）少し衰退しはじめていたものの、聴覚障害者たちはまだ気に入って使っていた。だから、衝突はときに激しいものになった。この議論には優生学という負の側面が存在する。つまり、聴覚障害者同士が子どもを持つと障害が遺伝するという懸念であり、ASLに反対する人たちはその考えかたにとらわれていた。要するに「優秀な」人間は話す、ということだ。

　息子のアレクサンダーはみずから説いたことをきちんと実践に移した。ボストンに赴き、聴覚障害者に口話法を教えると同時に、裕福な家庭の若い聾の生徒、メイベル・ハバードの家庭教師も始めた。ハバードの父親は、娘のメイベルのため、口話教育に力を入れる聾学校設立に資金を提供していた。5歳のときに罹った猩紅熱で聴力を完全に失っていたメイベルは、学習によって完璧に相手の唇を読み、英語だけでなくほかの言語もいくつかしゃべれるようになっていた。自信に満ち、きわめて知的なこの若い女性にアレクサンダーは心を奪われたが、当初、彼女のほうは関心を示さなかった。本人によれば、アレクサンダーはおもしろいが「恐ろしく光沢のある帽子——高価だけれど奇抜なもの——を持っていて、それをかぶると、漆黒の髪がやたらぴかぴかして見えた。彼がきちんとした紳士だとは思っていなかった」という。それでもふたりは結婚した。メイベル・ベルはアレクサンダーの仕事に多大な貢献をし、電話機の開発にも力を貸すことになる。

　アレクサンダー・ベルは聾者に話しかたを教える以外の時間、音の実験を行っていた。それは、電気刺激を通して音を目に見える形に置き換える「フォノトグラフ」という装置をもとにした実験だ。ベルは死んだ男の耳（および頭蓋骨の一部）を使って、ユニークでかなり不気味な「死者の耳のフォノトグラフ」を作った。まずは死者の耳に記録針を取りつける。音が伝わると耳骨が振動し、記録針（1本の麦わら）が煤を塗布したガラス板の上に波形を描いていく。当初ベルが考えていたのは、わたしたちの予想とは違うものだった。彼が念頭に置いていたのは、聞こえる人ではなく聞こえない人であり、作ろうとしたのは、聞こえない人のために言葉を視覚化する機械、いわば「ベルの視話法」の電気バージョンだったのである。

このアイデアがたちまち一般的なものに変わっていったのは、ベルが
こんなふうに気づいたからだ。「なんらかの音が出ているあいだに、音波
とまったく同じ波形の電流を流せば、どんな音でも伝えることができる
はずだ」。なるほど、「ベルの視話法」の電気バージョンは、あらゆる音
の動きを、人間の口ではなく電気で再現し、ガラス板にではなく空気中
に音を出し……、そして（聞こえる）相手の耳に届ける。いわば「ベル
の話す視話法」のようなものである。

　ベルは大きなことを成しとげようとしていた。1876年、「電気音声機」
として特許を取得。この機械は幸いなことに死者の耳を使わずにすんだ
し、やがて、はるかに耳馴染みのよい「電話」という言葉で呼ばれるよ
うになった。この電話が最初に伝えた言葉（ベルが助手に向けてなんの
気なしに言った）は、今では有名だがごく簡単なものだった。「ワトソン
くん、来てくれないか。用があるんだ」。しかし、その言葉が大きな一歩
となった（その後、ベルは初めて6キロメートル以上の長距離電話をし
た）。そしてここから、妻のメイベル・ベルがおおいに影響力を発揮す
る。1876年、アメリカ独立100周年を記念して開催されたフィラデルフ
ィア万国博覧会で、電話機のデモンストレーションをする機会を与えら
れたベルは、当初行くのを渋っていた。理由のひとつは、口話クラスの
生徒たちの試験を大量に採点しなければならなかったこと。しかし、メ
イベルはものともしなかった。夫にぜひ行くべきだと勧め、荷造りをし
て、駅まで送り届けた。なおも渋るベルから、メイベルは目をそらした。
ここでも、彼女の耳が聞こえないことが、電話機発明の後押しをする結
果になった。わざと夫の唇を読めないようにすることで、メイベルは相
手の抵抗に文字どおり耳を貸さなかったのである。だから、ベルはいや
でも行くしかなくなった。

　そのあとは、歴史に知られているとおりだ。ベルは「電気機器」部門
で金賞に選ばれ、国際的な名声を獲得して、ベル電話会社を設立した。
そこには、資産家であるメイベルの父をはじめとする投資家からの援助
や、現在では陰に隠れた存在だが、メイベルからのビジネス上の具体的
な助力もおおいにあった。当初、会社はなかなかうまくいかなかった。
将来を見据えて大きなビジネスを手がける人たちでさえ、長距離のコミ
ュニケーションには電報しかないと考えていた。だから、ベル一家はそ

うでないことを説得しなければならなかった。

　ベルは音を伝える作業に熱中し続けた。やがて聴力を測るための世界初の装置、聴力計を発明。音の大きさを測定する単位として、新しい言葉「デシベル」（自分の名前ベルから取った）も作った。また、太陽光のビームを音に変換する機械、フォトフォンも発明した。「僕は太陽光の音を聞きましたよ」とベルは成功したこの実験について、父親に書き送っている。これがのちに無線通信と光ファイバーへとつながっていく。

# ほんとうはだれが 電話を発明したのか

　当然、それはアントニオ・メウッチだ。少なくとも、彼に「電話の公式発明者」という明確な称号を与えているイタリア政府にとっては。

　メウッチは1834年に舞台用の音響機器（船のなかで音を伝える伝声管のようなもの）を初めて開発し、その後ニューヨークに移住したあと、音を再現するための電気式音声伝達装置の開発に取り組んだ。そして、1871年に「暫定特許」（仮特許のようなもの）を申請したが、おそらく金銭的な問題のせいで、それ以上開発を先へ進めることができなかった。本人にとっては非常にもどかしいことに、彼は1861年にニューヨークのイタリア人向け新聞『レコ・ド・イタリア』で発明のことを書いたと主張したのだが、その日の版はすべて失われていた。

　その後ベルが成功すると、メウッチはベルの会社を訴えた。この訴訟は最高裁にまで進んだものの、棄却となった。ただ、訴訟を起こしたのはメウッチだけではない。ベル一家は最初の数年間で山のような訴訟を起こされている。そのことからもわかるように、よくあることだが、機が熟せば多くの人が同じようなアイデアを持つようになるものなのだ。

# ベルと優生学
## 口話か手話か

　1800年代後半から1900年代初めにかけて盛んになった優生学運動は、生殖に適する人間だけが生殖すべきだという危険な考えで、ベルも熱心に支持していた。彼は、本人いわく「アメリカにおいて、より優秀で高貴なタイプの人間へと進化していくよう、そして国が劣化しないよう」願っていたという。また「望ましくない民族的要素」が入ることを懸念して、入国管理を提唱した。残念なことに、ベルはこれにとどまらず、聴覚障害についても同じ考えを持つようになった。1884年、『人類の聴覚障害形成について』と題した文章を書き、先天的な聾者同士の結婚を思いとどまらせるよう主張した。とりわけ手話を禁じ、聾者同士での交際を避けさせようとしたのだ。彼は口話や読唇術を教えて聾者を社会に組み入れるべきだという強い信念を持っていた。当然、手話支持者たちはそれに激しく反発した。

　口話か手話かという論争は形を変えて現在でも続いている。手話支持者の主張によれば、早い時期に言語スキルを身につけることは認知面の発達に欠かせず、手話なら聴覚障害児は自然に学べる。「口話」が効果的なのは、比較的聴力が残っている人だけである。いっぽう口話支持者は、手話に頼ると聾者が社会から切り離されてしまうと主張する。この議論は今後ますます熱を帯びるかもしれない。

# 21

ウィルヘルム2世の腕

# KAISER WILHELM'S ·ARM·

## FROM BREECH BIRTH ❋ TO BOMBS ❋

逆子で生まれたドイツ皇帝、
誇大妄想で世界大戦を引き起こす

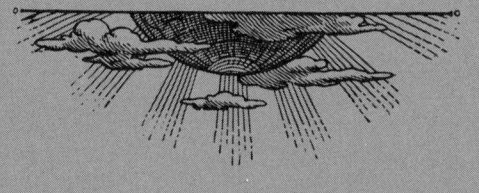

**第**一次世界大戦が起きた原因を、ひとりの男性の腕に負わせることができるだろうか。もしかしたらできるかもしれない。たぶん。部分的には。

　その腕は一部が麻痺（まひ）し、もう片方より短かったため、腕の持ち主であるドイツ皇帝ウィルヘルムをおおいに悩ませた。そしてそれを補強して（場合によっては過剰に補強して）ウィルヘルムは男らしいイメージを作ろうと、馬に乗ったり軍務に就いたりとマッチョな作業にいそしんだ。問題は、本人がいくら努力しても軍務が得意ではなかったということだ。ドイツの参謀本部はその様子を嘲笑し、「落とし穴を避けるよう兵士3人を導くこともできない」と言った。ところが、ウィルヘルムはその後、ヨーロッパを落とし穴のなかへ、つまり第一次世界大戦へと導く──少なくともその後押しはしたのである。

　不運なことに、ウィルヘルムは難産で生まれた「逆子」だった。頭ではなく足が先に出てきたのだ。こんなふうに逆向きで世界にあらわれたことが、彼の将来をかなり象徴している。そのときまではなにもかもが順風満帆に見えていたし、少なくともプロイセンの王子夫妻である両親は、ヨーロッパの平和と安寧を担うべき息子に希望を抱いていた。ウィルヘルムは夫妻の跡継ぎとして生まれた。父はフリードリヒ・ウィルヘルム王子（のちのプロイセン国王およびドイツ皇帝フリードリヒ3世）

で、母は王女ビクトリア（のちの王妃）。彼女はイギリス女王ビクトリアの娘だ。このドイツとイギリスとの結婚は、ふたつの王家の望みを象徴するものだった。つまり、プロイセン式のドイツ軍国主義を終わらせ、新しいイギリス式のリベラルなドイツにすること。ヨーロッパでもっとも権力も勢いもあるふたつの国が結合したその象徴が、息子のウィルヘルムだったのだ。しかし、事はそれほどうまく運ばなかった。そもそも彼はスタートからして逆向きだったのだから。

　興味深いことに、もしウィルヘルムの生まれが高貴でなかったら、逆子で生まれることもなかったかもしれない。一説によると、王室で母親に付き添っていた産科医は、まさかと思うが、彼女の「プライベート・パーツ」を露出させないよう命じられていたという。だから、医師たちは王女が穿くボリュームのあるスカートに深く潜り込んで処置しなければならなかった。そうなると当然、少しばかり困難が生じる。さらに悪いことに、イギリスのビクトリア女王は、自分の知り合いのイギリス人医師も出産に立ち会うよう求めていた。しかし、これはあまりよろしくない判断だった。というのも、ジェームズ・クラーク卿は年配の専門家で、しかもその専門は産科ではなく「気候と健康」だった（そのうえヤブ医者だったとも言われている。一説によると、未婚のフローラ・ヘイスティングズ公爵夫人を妊娠と診断したものの、実際は腹部の癌だったというのだ）。

　出生時、ウィルヘルムは酸素不足によって顔色は青く、萎びた左腕が首に巻きついていた。もしかしたら、スカートのなかで鉗子分娩を行ったせいで、肩の神経に損傷を負ったのかもしれない。いわゆる腕神経叢損傷、肩や肘が動かなくなる「Erb麻痺」として知られる状態が起きたのだ。ただ、最近の知見によると、ウィルヘルムは子宮内胎児発育不全だったのではないかとも考えられている。医師たちは生まれたばかりの未来の皇帝に呼吸させるため、激しくマッサージしなければならず、そのせいでウィルヘルムは脳に損傷を負ったとも言われている。ウィルヘルムは聡明ではあったものの、並はずれて気難しい性格だった。かんしゃくを起こすことが多く、乳母を嚙んだり、自分のやりかたを押し通したりした。どういう理由で難産になったかはともかく、彼自身はあくまでこう言い張っていた。「腕が不自由になったのはイギリス人医師のせ

いだ」。ここから怒りが始まった。ものごとがうまくいかないのは、ひとつは腕のせいであり、あとはすべてイギリスのせいだと思うようになったのである。

　両親はウィルヘルムが王室の「完璧な」息子であることを望み、本人の意思にかかわらず、そういう存在に育てようとした。当時は、王室にとって新しい時代だった。ヨーロッパのどこでも、若い王族はリベラルで規律ある「科学的」な中産階級の価値観に従って教育を受けていた。ヨーロッパにとってもヨーロッパの王室にとっても、ナショナリズムや戦争をあおるような言動を遠ざけてさえいれば、未来は明るいように見えた。科学的な医療も進歩しつつあったが、ときにはそれが間違った方向に進んだ。イギリスのビクトリア女王は、一流の骨相学者（頭の形や凹凸で精神的気質を「科学的」に判断する人）に依頼して自分の子どもたちを診てもらった。すると、息子で将来の王であるエドワード７世の頭は「弱くて異常」と診断され、もともと息子への愛情が薄かった母のビクトリア女王は、やはりわが子には「小さくて空っぽの脳しかない」のだと納得してしまった。

　ウィルヘルムはといえば、腕を強くするための「科学的」療法も受けさせられ、そのたびに悲鳴を上げていた。もしかしたら彼が好戦的になったのは、そのせいも少しはあるかもしれない。医師たちは幼いウィルヘルムの腕に強い電気を毎日流した。その後、よいほうの右腕を胴体に縛りつけて、萎びたほうの腕を無理やり使わせようとした。その結果、バランスを取るのも歩くのも難しくなり、膝関節脱臼を起こしてしまった。４歳のときには背中をまっすぐにするための金属棒と、頭の位置を矯正するためのネジを取りつけた特別な器具で体を固定された。さらに悪いことには、週に２回、さながらＢ級ホラー映画のような療法も受けさせられた。殺されたばかりの野ウサギの死体に腕を当てて30分間そのままにし、今まで生きていた動物の生命力を（目に見えない形で）吸収しようというのだ。

　けれども、そのどれも効果がなかったし、イギリスの「まとも」でリベラルな価値観を教え込もうとする両親の努力も実を結ばなかった。しかし、それでもなお両親は努力を続けた。もしかしたら、ドイツの行く末を案じるがゆえに、度が過ぎたのかもしれない。ウィルヘルムが10代

になるころ、ドイツの偉大な宰相オットー・フォン・ビスマルクはプロイセン王国下のドイツをほぼ統一していた。そのほとんどは、1870年のフランスとの短期決戦をはじめとする軍事力で成しとげられたものだが、今や（勝利を収めたとなれば）ビスマルクでさえ（そしてウィルヘルムの両親も）、戦争をやめたがっていた。

　両親はウィルヘルムが抑制のきく人間になることを望んでいた。完璧な体を神から与えられなかったのなら、せめて完璧にリベラルな知識人になってほしかった。ウィルヘルムはリベラルな教育カリキュラムを押しつけられたものの、そのやりかたはとてもリベラルとはいえないものだった。朝の6時から夕方の6時まで、1日12時間も授業があり、それが週に6日も続く。教えていたのは言語学者ゲオルク・エルンスト・ヒンツペーターだ（ウィルヘルムは彼のことを「怪物」と呼んでいた）。

　しかし、そうまでしてもウィルヘルムは完璧なイギリス式のリベラルな人間にはならなかったし、両親を好きになることもなかった。それに、別の問題もあった。とくに母親についてだ。ウィルヘルムはイギリス人である母の手に妙な欲情のこもった（相手をちょっと不快にさせるような）愛着を抱き、母親に宛てて疑似性愛的な手紙を何度か書いている。母はその手紙を読むと、文法の間違いを直して突き返していたという。おそらく、こうしたイギリス式の厳格なやりかたが度を超したせいで、息子はイギリスのものがなにもかも嫌いになってしまったのだろう。

　ボン大学に入学するころには、筋金入りのドイツ軍国主義者になっていた。平服をやめて軍服を着用し、やがて120着もの軍服を所有するようになった（左腕の短さをごまかすため、ポケットの位置を高めに仕立てさせた。軍服姿の写真では手袋をはめた手をたいてい剣の上に置いている。ありのままの腕を写した写真はすべて、本人が破いてしまった）。訓練を続けていたおかげで乗馬もうまくなり、キャンパスの外で軍務に熱を入れているあいだに、厳格な軍人としての自己を身につけ、周囲のあらゆる人間に大声で命令したり、自分の考えを伝えたりするようになった。ただし、軍の副官によると、ウィルヘルムの態度には大事なものがひとつ欠けていた。自制心だ。

　ウィルヘルムは王位を継ぐ際、王室の美徳をほとんど受けつがず、あるのはその場しのぎの頭の回転の速さだけだった。イギリス人のいとこ

たちをしょっちゅう悩ませ、ロンドンでは怒りに任せてこう言ったこともある。「君たちイギリス人は頭がおかしい。3月のウサギみたいに頭がおかしいんだ」［3月に繁殖期を迎えるウサギはおかしな行動をするという言い伝えがある］（それに対して、イギリスのソールズベリー卿はイギリス流に抑えた表現でウィルヘルムのことを「あまりまともではない」と表現した）。ウィルヘルムはイギリスとみるや、どこであれ敵対心を向けるようになった。海では海軍を増強させ、陸ではイギリス帝国に対抗すべく植民地を増やしていった。しかもそこで止まらなかった。極度な誇大妄想に陥り、こんなことまで書いている。「地球の反対側にあるジャングルの奥深くにまで、ドイツ皇帝の声が行き渡るべきだ。その声を聞かないうちは、この地球上ではなにも始まらないのだから」

たしかに、ヨーロッパの人たちは彼の声を聞いた。間違ったことを言う声を……。ひねくれたウィルヘルムにはヨーロッパの指導者たちを侮辱したり、身体的特徴をめざとく見つけては悪態をついたりする並はずれた才能があったといえるかもしれない。たとえば、背の低いイタリア国王のことを北欧神話の妖精に喩えて公然と「ドワーフ」呼ばわりし、ブルガリア皇帝の鼻を人前でからかったうえ、あいつは両性具有だという噂まで広め、ロシア皇帝ニコライのことは「能なし」と呼んだ。どう考えても、平和を願った両親の意志をウィルヘルムは受けついでいなかった。

さらに悪いことには、国同士の関係作りに血道を上げていた当時の情勢に倣い、ウィルヘルムはヨーロッパを交差する同盟とそれに対抗する同盟との絡み合いにドイツを深く巻き込み、結局はそれが第一次世界大戦へとつながっていった。こうした同盟は、理論的には安定を促すはずだった。たとえば、オーストリア゠ハンガリー帝国が強国ドイツと同盟を結べば、あえて戦争を仕掛けてくる国はないだろう。しかし、その結果どうなったかはだれもが知っている。オーストリア゠ハンガリー帝国のフェルディナント大公が暗殺されたあと、ヨーロッパのほぼすべての国が、その「あえて」を行動に移したのだ。いじめっ子がたいがいそうであるように、好戦的なウィルヘルムもいざ戦争が避けられないとみるや、宣戦布告の書類にサインすることをためらった。そして、（いいほうの腕で）勲章を授与する以外には実際の戦闘にほとんど関与せず、敗戦

後は退位し、オランダに亡命した。

　皮肉なことに、ウィルヘルムを悩ませ、その後政治的に好戦的となった大きな要因——神経損傷による腕の萎縮——に対する効果的な治療法は、本人が加担して始まったまさにその戦争中、進歩がみられた。というのも、第一次世界大戦中の怪我のうち2%近くは末梢神経の損傷であったため、医師たちは新たな治療法を実践で試すことができたのだ。ただ、それは少し遅すぎた。ドイツ皇帝ウィルヘルムにとっても、世界にとっても。

# ドイツの未来への
# 不吉な予言

　第一次世界大戦後、元皇帝ウィルヘルム2世を精神不安定者あるいは頭のおかしな戦争好きと診断することが、精神医学という新たな分野に携わる者たちのあいだで、大きなビジネスになった。医師で作家のエルンスト・ミュラーは1927年、ウィルヘルムに関する重要な研究を行い、こう結論づけた。ウィルヘルムは「血筋はよいが変質者であり……精神病質と神経衰弱もあった」。つまりは、戦争に勝てるようなリーダーではなかったのだ。しかし、ミュラーにはこの問題に対する解決策があった。ドイツに必要な支配者は、上流階級出身ではなく、無慈悲で独裁的気質を持ち、「ブロンドの髪、ほっそりした頭、青い目、すぐれた知性、気高い心、引き締まった体、自信と抑制、エレガントな歩きかたの男」であると言っている。悲しいことに、ミュラーは数年後、その予言のほとんどを的中させたが、ただヒトラーは人相の点で、この理想的アーリア人の妙な条件にはどう見ても達していなかった。

# アインシュタインと
# ウィルヘルムの関係

　ウィルヘルム２世は科学に関心があったおかげで、少なくともひとつはよい成果を上げた。彼が国を治めていたあいだに、カイザー・ウィルヘルム科学振興協会が設立されたのだ（のちのMPP——マックス・プランク物理学研究所。宇宙物理学や素粒子物理学が専門）。その初代所長は？　新進気鋭だがまだあまり知られていなかった若き物理学者、アルベルト・アインシュタインである。

メアリー・マローンの胆嚢

# MARY MALLON'S GALLBLADDER

### AND LURKING BACTERIA, SPREADING DISEASE, PEACHES AND CREAM … AND CONTACT TRACING?

疫病研究を飛躍的に発展させた
19世紀の「無症状患者」

1869年〜1938年

　うか気の毒な胆嚢を哀れんでもらいたい。それは歴史上あまり目立つ存在ではなかった。なぜか。胆嚢は基本的にはなんの変哲もない小さな袋状の臓器で、肝臓の下にあり、脂肪（脂質）の消化を助ける緑がかった胆汁を貯蔵している。生命に関わる臓器ではないので、摘出してもおそらく問題なく生きていける。そして実際、医師たちがまさに摘出したがった胆嚢の持ち主は、見た目は健康だったメアリー・マローンだ。彼女は、ちょっとかわいそうだが「腸チフスのメアリー」として世界中に知られることになった。

　メアリー・マローンとその悪名高い胆嚢（腸チフス菌が潜伏していた）は現代の疫学、つまり感染症研究の重要な先駆けとなった。マローンは科学的に特定され、研究された最初の無症候性腸チフス保菌者——実際にはあらゆる病気においても最初のひとり——となった。こうして、彼女はわたしたちが現代でも直面する問題に光を当てた。それは、とくに無症状保菌者がいる場合、感染症をどうやって制御すればいいのか、ということだ。そして、個人の権利と集団の権利とのバランスをどう取るのか。どちらも大事な問題で、そこから多くの論争が生まれたのである。

　マローンは 1869 年にアイルランドで生まれた。15 歳のときアメリカ

に移住し、最初はメイドとして働きはじめ、やがて住み込みの料理人になった。料理の腕がよいことで知られていたので、月に45ドルも稼いだ。1906年8月4日、マローンは列車でニューヨークのロングアイランドにある富裕層向けの別荘地オイスター・ベイに行き、チャールズ・ヘンリー・ウォーレンという裕福な銀行家が借りたサマーハウスで料理をすることになった。ここからすべてが変わってしまったのである。

8月24日、ウォーレンの幼い娘が発熱とけいれんを伴う病気に罹った。医師が下した診断は、恐ろしい腸チフス（抗生物質のない時代、腸チフスに罹ると約1割が死亡していた）。まもなくウォーレンの妻も感染し、その後、庭師とメイド2人とウォーレンのもうひとりの娘も感染し、その家にいた11人のうち、9月3日までに6人が感染した。病気が発生してから3週間後、マローンは予告もなく荷物をまとめて出ていった。

ウォーレン一家だけでなく、サマーハウスの所有者もひどく不安になった。というのも、腸チフスはふつう、不潔なスラム街や汚物が発生源であって、大金を払って優雅なサマーハウスに滞在する金持ちとは縁がない。そこで、衛生担当専門家のジョージ・ソーパーが急遽請われ、調査することになった。すると、サマーハウスやオイスター・ベイにはなにも問題がないとわかった。ただし……メアリーについては問題があった。彼女の雇用歴をたどっていくと、仕事に就いた先々の家庭で腸チフスが発生していたのだ。オイスター・ベイの件と同様、腸チフスの発生しやすい環境にいる人たちではなく、とびきり裕福なニューヨーカーたちのあいだで発生していたのである。

ジョージ・ソーパーは、疾病対策の重要な第一段階のひとつで、今では「接触者追跡」として知られる調査を実行に移したばかりだった。ソーパーはこう言っている。

---

メアリー・マローンのおかげで、腸チフスの伝染に関わる謎の多くが解けたし、病気が発生したとき納得のいく説明をしてくれるのは、物ではなくたいてい人であるという事実にも気づかされた。

---

当時、世界は腸チフスのような病気をどうすれば制御できるか、その

認識が大きく変わろうとするさなかだった。腸チフスのほかにもコレラ、ポリオ、黄熱病がなおも周期的に人びとのあいだで流行していた。これに対抗するため、新たな公衆衛生の取り組みが始まったものの、依然として汚物の処理や衛生に重点が置かれていた。たとえばゴミ処理、よりよい下水道の設置、水を濾過する装置の使用など。清潔にすることで、たしかに病気は減った。とりわけ水の濾過によって腸チフスの発生が激減した（1913年までに発生率は半分以下になった。ただし通常は、ある程度の流行がないと、なんらかの対策をとるようケチな市長を説得することができない）。とはいえ、衛生状態はまだじゅうぶんではなかった。オイスター・ベイのように「清潔な」場所でさえ、感染症がときおり流行していたのだ。

メアリー・マローンのような無症状保菌者の場合、通りを歩いたりおしゃべりをしたり料理をしたり、と見た目こそ健康なのだが、実は有害な細菌をあちこちにまき散らしている。このような症状のない保菌者のことは科学者には知られていたものの、それについて議論する人はあまりいなかった。しかし、ここでも時代は変わりつつあった。疾病対策としてはすでに、正確さに欠ける「不潔起因説」から「細菌説」へ代わろうとしていたのだ。とりわけ腸チフスに関しては1880年代、科学者たちがこの病気を引き起こす厄介な微生物「チフス菌」を発見していた。少なくとも現在では、たとえ症状がなくても顕微鏡で便を検査すれば保菌者を特定することができる。

これこそまさにジョージ・ソーパーがしようとしていたことだ。彼はやっとマローンの所在を突きとめ、マンハッタンのパーク・アベニューの豪奢な家で料理人として働いていることを知ったのである。その家でメイド1人と家主の娘が、最近になって感染していたのは偶然ではない。ソーパーはおそらく外交的なほうではなかったのだろう。それでも、本人は「できるだけ外交的になろうとした」と言っている。しかし、初対面の女性に突然近づいていって、あなたの便を検査したいと申し出るのだ。その申し出にマローンも応対した……ただし、少しばかり暴力的に。ソーパーの説明によれば、「彼女は肉切り用のカービングフォークを手に近づいてきて……逃げおおせたのはラッキーだった」という。

そこで、彼はニューヨーク市衛生局の職員たちに相談し、制服警官5

人の援護を受けて、蹴ったり叫んだりするマローンをやっとのことで家から引き離した。自分は腸チフスに罹ったことなどないと本人は言い張ったが、強制的に行った便検査の結果は、その主張を打ち消すものだった。マローンは間違いなく恐ろしい病気の保菌者だったのだ。

　ここで、マローンが不本意にも貢献することになった疫学という新しい科学に、もうひとつの側面があらわれてくる。無症状保菌者を介して病気が発生することは彼女がすでに証明していたが、また新たな問題が生じたのだ。つまり、保菌者をどうするか、である。ニューヨークの公衆衛生当局は思い切った方法を採った。強制隔離だ。マローンはイーストリバーに浮かぶ島のリバーサイド病院に近い「隔離棟」に入れられた。本人はなおも保菌者であることを否定していたが（実際、いくつかの記事によると、マローンは恋人の便とこっそり入れ替えて検査に出し、菌がいないことを「証明」したというが、恋人のほうもたまったものではない）結局は強制的に入院させられた。

　これではただの保菌者狩りではないか？　いや、そうではない。ニューヨーク市衛生局の職員たちは議論の末、病気を管理下に置いておかなければならないと結論づけた。ところが、回復した腸チフス患者全体の3％ほどが、無症状保菌者であることがわかった。その人たち全員をずっと隔離しておくというのか？　いや、それは無理だ。1910年、新しい衛生局長は、二度と料理の仕事に就かないという条件でマローンを解放することにした。ところが、彼女は市から提供された仕事を受け容れず、突然またも姿を消した。ソーパーはニューヨークの著名な医師サラ・ジョセフィン・ベーカーとともに、やっとのことでマローンを見つけ出した。彼女はニューヨークのスローン産婦人科病院の産科病棟で、偽名を使って料理人をしていたのである。彼女がそこで働いていた3カ月のあいだに25人が腸チフスに罹り、2人が死亡していた。『消化器学会年報』に掲載された調査報告によると、最終的には市内全体で3000人以上が彼女のせいで感染した疑いがあった。メアリー・マローンは急遽、隔離棟に戻された。

　さて、ここからどうするか。マローンには多くの治療法が試された。たとえば、効くと謳（うた）われていた治療薬ヘキサメチレンアミンもそのひとつ（2020年から流行しはじめた別の感染症に効くとされた治療薬と響

きが似ているが、その薬と同様、これも効かなかった）。次に医師たちが提案したのは胆嚢摘出だ。なんらかの理由により、胆嚢は無症状保菌者の体のなかで腸チフス菌が潜伏しやすい場所なのである。菌は胆汁に混じって腸に排出され、そこから便に入り込み、それが手に付着して食べ物に移る（実際、ウォーレン一家の場合、マローンがよく出していたデザートの、アイスクリームに添えた桃がおもな原因ではないかとソーパーは疑っていた。料理をすれば細菌は死滅するが、桃には火を通さないし、残念ながらマローンはきちんと手を洗っていなかったようだ）。

　マローンは胆嚢摘出に激しく抵抗した。抗生物質のない時代、実際にメスを入れる手術の死亡率が高かったことを考えると、抵抗するのも無理はない。その後も彼女は手術をする決心がつかず、隔離されたまま残りの人生を過ごした。そして、そんな状況を金持ちのせいにした。「医師も行政も結果を出したかったのよ。金持ちを守って功績を認められたかっただけ。わたしは彼らの犠牲者です」

　公正に言うと、医師も行政も難題に頭を抱えていた。さらに悪いことに、科学者たちが全国の無症状保菌者を調査しはじめると、とんでもない範囲に拡大していることがわかった。全国に無症候性腸チフス保菌者が何千人もいたのだ（毎年、1300人ずつ増えていると推定された）。もっと悪いことに、ジフテリアなどほかの病気でも無症状保菌者が数十万人もいると思われた。その全員を隔離するのは無理だ。

　腸チフスについては、残念ながらメアリー・マローンの死後だいぶたってからだが、ワクチンや抗生物質のおかげで、問題はほぼ解決した。しかし困ったことに、現代のわたしたちにも、また新たな病気がつねに出現してくるのである。

# 腸チフスと
# 古代ギリシャの終焉

　紀元前430年、ギリシャの歴史家トゥキュディデスは、ある恐ろしい「疫病」のことを記している。この疫病はアテネを席巻して市民の3分の1を殺し、結果的に古代ギリシャ文明の終焉を早めた。トゥキュディデスが説明している症状（彼自身も感染した）はすさまじいものだ。たとえば、患者によっては、衣服が肌に触れるのもいやで裸になりたがるほどの高熱や、我慢できないほどの絶え間ない喉の渇き、激しい嘔吐、眠れないほど強い倦怠感がみられる。患者の多くが2週間以内に死亡し、そのなかには偉大な政治家ペリクレスもいた。

　はたしてこれはなんの病気だったのか。エボラ出血熱か？　腺ペストか？

歴史家たちは何世紀にもわたって考察してきたが、だれにもわから
なかった。それが判明したのは1994年、考古学者がアテネのケラメ
イコス古代墓地にある大きな埋葬場所を発掘したときだ。そこに埋め
られていた150を超える遺体は、2000年以上前に感染症で死んだ人
たちのものだった。科学者たちは死体から歯を抜き、さらに歯から歯
髄を抜いて、高度なDNA鑑定技術で調べた結果、ついに答えが出た。
それは読者の予想どおり、腸チフスだった。詳しく言うと、悪名高い
「サルモネラ属チフス菌」のDNA配列が見つかったのだ。腸チフスが
ギリシャの黄金時代を終わらせる後押しをしていたことがあきらかに
なった。

# そもそもなぜ胆嚢なのか

　胆嚢から出る胆汁はいわば天然の洗浄液なのに、それが腸チフス菌を殺さないのはなぜか、科学者にとって長年の謎だった。しかし最近、オハイオ州立大学のジョン・ガン博士の率いる研究によって答えが見つかった。

　腸チフス菌はいったん人が感染すると、ときとして免疫監視を逃れ、しばしば胆嚢内の胆石に集まり、そこで丈夫なバイオフィルム（生物膜）を形成する。バイオフィルムができるのは、浮遊性の微生物が個体の表面にくっついて、粘着性のある丈夫な膜を作り上げるからだ。細菌はなにかの表面に付着すると、そこに集まり再生産されるため、殺して根絶やしにするのは非常に難しい。たとえば歯垢もそのひとつだ。そうなると、免疫システムも細菌を完全にやっつけようとはしなくなる。だから、胆嚢内の腸チフス菌はそこにとどまり、ときおりコロニーのなかからいくらかを胆汁に送り込んで、人に感染し続けるのである。

# 23

レーニンの皮膚

# LENIN'S SKIN

## &

### ITS ROLE
IN A QUASI-RELIGIOUS CULT
IN A NONRELIGIOUS STATE

かの英雄は永遠に生き続ける……
不完全だった遺体防腐処理の裏話

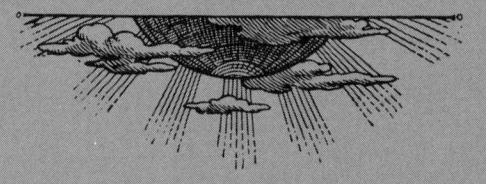

1870年〜1924年

**1**938年11月の休日。共産主義国家ソビエト連邦で残忍な大粛清が頂点を極めていたときである。すでに何十万人もの市民が死刑に処せられていた。独裁者ヨシフ・スターリンと政治局員たちは、赤の広場にあるレーニン廟を訪れた。

　防腐処理を施されたソ連の建国者ウラジーミル・レーニンの遺体が、ガラス製の棺に入れられ恒久的に公開安置されている。このとき、霊廟の遺体を保存管理する科学者と職員の4人は、防腐処理されたレーニンの皮膚の状態を点検するスターリンと政治局員たちを、びくびくしながら見守っていた。やがて、「銃殺刑リスト」の刑執行令状にスターリンよりも多く署名していたビャチェスラフ・モロトフ首相が、聞く者を震え上がらせる言葉をつぶやいた。「ひどい変わりようだな」

　ああ、なんてこと（プリヤット）！　もしかしたら、科学者たちはしくじったのか？　レーニンは死んでいるように見えてしまったのだろうか？

　スターリン時代のロシアでは、失敗は、たとえ失敗と思われただけでも、許されるものではなかった（アレクサンドル・ソルジェニーツィンが『収容所群島』で書いているように、スターリンを讃える演説を聴いていた人びとは、反スターリン主義者とみられるのを恐れて、いつまでも拍手をやめられなかった。聴衆はだれか勇敢な人——あるいは疲れた

人──がようやく拍手をやめるまで、不安げに手を叩き続けた。最初に拍手をやめた男は、スターリン支持の熱意が足りないとみなされ、反ソ連の活動家として逮捕される）。さらに、この霊廟では失敗がたやすく見つけられてしまう。マルクス主義者レーニンの皮膚にカビが生えているとなれば、シベリア送りか、もっと悪い結果になるかもしれないのだ。

　レーニンの皮膚をカビのない状態にしておくのは容易ではなかった。そのうえ霊廟の管理者たちは、さまざまな真菌や、「ゼブラ化」（スジやシミや斑点ができること）や、皮下脂肪の乾燥による筋肉の陥没とも闘わなければならなかった。彼らは定期的にレーニンの顔にワセリンやワックスやパラフィンやゼラチンを注入してふっくらさせ、防腐剤で筋肉の張りを保たせ、手と顔にホルムアルデヒド溶液を染み込ませていた。体にはゴム製のスーツを着せている（その上からふだんのスーツを着せる）。これは、一定期間ごとに防腐剤を浴びせ、「バルサム液」（グリセリンと酢酸カリウムの溶液）をレーニンの皮膚に直接揉み込むためだ。こうした一連の処置は14年間続いた。レーニンの死後、スターリンはそうして亡き指導者と（比喩的に）自分を一体化させ、立場を固めることが政治的に得策だと判断したからである。

　レーニンは死ぬ少し前に遺言を書いて、集団指導制をとるよう求め、スターリンを党書記長としての地位から外すよう進言していた。しかし、それは彼の後継者たち、とりわけスターリンによって揉み消された。おもに見せしめ裁判と処刑によって、スターリンはレーニン後の指導者候補をひとりずつ排除していった。そして、人民の尊敬を集めたレーニンに自身のイメージを近づけるため、写真を加工したり英雄的な絵画を描かせたりして、初期のボリシェビキ共産主義における自分の（見せかけの）中心的役割を強調しようとした。死の床にあったレーニンは、母親の横に埋葬されることを望んでいたらしいが、まもなく独裁者となるスターリンにそんなつもりは毛頭なかった。レーニンへの熱狂的支持があれば、スターリンの考えも正当化されるはずだ。スターリンに必要なのは、レーニンを復活させ、その熱狂を維持することだけだった。そしてここから、めったにない政治的課題が生まれてくる。つまり、死んだ指導者の肌をどうやって生きているように保つか、ということだ。

　ソ連の医師や科学者は、まずレーニンの遺体を冷凍保存する計画を立

てたのだが、特別製冷凍庫が完成する前に遺体が腐敗しはじめた。そこで、まだ実験段階にある遺体の保存処理——エンバーミングを施すことにした。レーニンの目と、内臓のほぼすべてを取り除き（脳は、彼の「並はずれた能力」を解明するため、死後急いで設置されたソ連の「脳研究所」に送られた）、そのあと体液（体重の約6割）を排出して防腐剤を注入する。レーニンのもとの体は23%ほどしか残っていないが、その23%はていねいに守られた。いまや聖なるマルクス主義者となった遺体のために、多いときには200人もの職員が霊廟や付属研究所で働いていた。防腐処理されたレーニンの遺体（コードネームはかっこよく「オブジェクトNo.1」とされた）はきわめて貴重だったため、第二次世界大戦中には、包囲されていたモスクワに特別列車が差し向けられ、ロシア中央部に作られた研究所へ運ばれた。おかげで損傷することもなかった。

　すでに亡きレーニンの肉体にこれほど手をかけるやりかたから、ソ連人の人生観が垣間見える。おそらく、ソ連が公式には無神論社会で、死後の世界という概念をひどく軽蔑していたため、この世界で永遠に生きているかのように公開安置することがきわめて重要だったのだろう。神様も王様もいない国家では、比喩的にも文字どおりにも新たな歴史的伝説を育み維持する必要があった。レーニン廟は、腐敗せずいつまでも公開されている共産主義の聖人を讃える場所なのだ。長年のあいだに、およそ2400万人がここを訪れて遺体を眺め、彼の偉業に思いを馳せた。ソ連は建国者レーニンに施したエンバーミング技術や、遺体への崇拝ぶりを誇りにしてきたのである。

　ところが、エンバーマーの努力や技術にもかかわらず、1938年、レーニンの遺体の状態を見たモロトフは不快感をあらわにした。ソ連がおおいに自慢していた皮膚や皮下脂肪の保存技術は、期待されたほどうまくはいかなかったのだ。レーニンの顔は適度な量の皮下脂肪を失って陥没し続けていた。皮膚には漂白を施し、カロチン色素で赤みを出す処理を繰り返し行っているが、それでも土気色になることが多く、いくつかの記録によると、さらに悪いことに、皮膚の塊とその奥の肉（足の一部も同様だが、そこは幸いにも隠すことができた）がときおり剝がれ落ちたという。いったいどうすればいいのか。

　モロトフが点検に訪れたあとまもなく、科学者たちは有名な（ブルジ

ョア）画家たちからヒントを得た結果、非科学的でソ連らしくない巧妙なアイデアを思いついた。彼らはレンブラントの光の当てかたとエル・グレコの光の当てかたを比較し、そのあとレーニン廟の遺体を見て、これまでは顔色が悪く見えるエル・グレコ方式で光を当てていたことに気づいた。そこで、霊廟チームはレンブラント方式を採用し、新たにガラスの棺を使うことで、見た目の問題を解決した。この棺を使えば温度と湿度の管理がしやすいだけでなく、照明の当たりかたもはるかによくなる。フィルター効果で肌はピンク色になり、目と頬の落ち込みを目立たせていた影は消えた。

　そして、これが別の問題へとつながっていく。レーニンの遺体の皮膚は、そもそも本物といえるのだろうか。『レーニンの病気、死、エンバーミング　その真実と謎』は、レーニンの保存遺体について記した本で、著者である有名なロシア人外科医は、この専門技術が科学的な防腐処理にもとづいたものであることを強調している。しかし、旧ソ連以外の国の作家たちによれば、レーニンの皮膚と皮下脂肪は、プラスチックとパラフィンとグリセリンとカロチンの混ぜ物を丹念に塗布し、その上から厚化粧を施し、さらにレンブラント方式の照明で見栄えをよくしているのだという。これで見た目は完璧だろうか。たぶん。しかし自然だろうか。いいや。

　現在でも、レーニン——あるいはその残存物——は霊廟に安置されているが、最近では見学者のなかでも、外見に関する意見は実にさまざまである。まるで永遠の安らぎのなかで眠っているように見えるという人もいれば、反対意見の人もいる。なかには控えめな言いかたで、ロシア共産主義国家の創設者を、ワックスを塗った大きな果物に喩える人もいる。

# 死後のスターリンを 美しくする

　スターリンのエンバーマーたちは、レーニンのときとはまったく違った問題に直面した。というのも、実物とあまり似ないようにする必要があったからだ。生前、スターリンの顔には重症の天然痘によるひどいあばたやシミがあった。そして背が低く（アメリカ大統領ハリー・トルーマンは彼のことを「ちび」と呼んだ）、左腕は子ども時代の事故の後遺症で萎縮し、噂によれば両足とも指が6本あったという。雑誌でも公式写真でも肖像画でも、容姿は念入りに修整されていたため、つねに本物よりもはるかにハンサムで背が高かった。スターリンのエンバーミングチームのひとりはテレビのインタビューで、自分のいちばんの使命は「スターリンの遺体を写真や肖像画にできるかぎり近づけて、人民がショックを受けないようにすること」だったと言っている（しかし、それもやがて無駄になった。スターリンがレーニンの横で一般公開されていたのは1953年から1961年までのわずかな期間だけだったからだ。ソ連の新たな首相ニキータ・フルシチョフはその遺体を不名誉にも、約100メートル離れた、ソ連の下っ端当局者たちが眠る墓地に埋葬したのである）。

# 毛沢東の
## エンバーミング

　共産主義者のエンバーミングという点で言うと、中華人民共和国の建国者である毛沢東が亡くなったのは、折の悪い時期だった。1976年はソ連と中国との緊張が高まっていた最中なのだ。

　ソ連の専門技術者はほかの共産主義国の指導者をエンバーミングしたりミイラにしたりするのを喜んで手伝っていたが、中国人には手を貸したがらなかった。そのため中国は自前で処理したものの、即席で身につけた防腐技術は、ひいき目にも満足のいくものではなかった。エンバーミングを施された毛沢東の遺体はどう見ても……本人には似ていなかった。

　毛沢東の医師だった李志綏は不満げにこう漏らしていたという。「頭はサッカーボールのように腫れ上がり」、「ホルムアルデヒドが汗のように毛穴から滲み出していた」。

　およそ1年にわたり、技術者たちはなんとか改善しようと試みたが、結果的にはかろうじて満足できる程度だった。毛沢東の耳は奇妙な角度に突き出し、皮膚はイギリスの新聞記事によると「マダム・タッソー蠟人形館から拒絶された蠟人形のよう」に見えたという。もしかしたら、そのせいで見学者は棺から6メートル離れ、立ち止まらずに見なければならないのかもしれない。

# リンカーン大統領の
# エンバーミング

　国家の指導者にエンバーミングを施して観衆の目にさらすのは、なにも共産主義国だけではない。エイブラハム・リンカーン大統領が暗殺されたあと、その遺体は7つの州の180に及ぶ都市を特別列車でめぐった。その際、エンバーマーを含む職員300人が同行した。列車が駅に停車すると、棺に入った遺体は降ろされ、人びとに公開された。しかし、冷凍庫もない時代だ。肉体は腐敗しはじめ、エンバーマーが最善を尽くしても、生前の特徴をとどめられなくなっていった。

　そして、ニューヨークでの23時間にわたる公開で、遺体の状態はかなり悪化した。『ニューヨーク・タイムズ』紙はこう書いている。「生前のリンカーンを見たことのない人にとってはまずまずだったかもしれないが、よく知る人からすれば、ひどくかけ離れていた。顔色は鉛色で茶色と言ってもいいほど。髪の生え際がひどく後退して額が際立ち……いくら防腐処理が施されているとはいえ、これ以上、公衆の目にさらすのは無理だろう」。それでも列車での旅はイリノイ州スプリングフィールドまで続き、ようやくオークリッジ墓地の地下に埋葬された。本人の巨大な座像が置かれたリンカーン記念堂はある意味、エンバーミングを施された指導者が眠る共産主義国の霊廟と同じものだが、ひとつ大きな利点がある。大理石は腐らないということだ。

秋瑾の足

# QIU JIN'S FEET

&

## How Binding Spawned
## the Feminist Fight for Freedom

「蓮の足」を解放せよ——
中国女性を救ったフェミニズム革命

1875年〜1907年

これは、2本の足が歴史上もっとも勇敢なフェミニズム革命を引き起こした話である。その足の持ち主は、中国のフェミニスト革命家だった秋瑾（しゅうきん）だ。彼女が革命運動を始めたそもそものきっかけは、足のサイズをめぐる問題だった。王朝時代の中国では、1000年以上にわたって女性の足は小さければ小さいほどよいとされていた。小さな足（痛みを伴う方法で人工的に小さくした足。理想のサイズは大人が10センチで、これは1歳児の平均的なサイズ）が好まれたのは、家族のステータス、社会的地位の向上、経済的安定のためであり、また性的魅力——社会を牛耳る男たちのため——という意味もあった。やがて秋瑾のような女性たちが、足を小さくする慣習に疑問を呈しはじめる。

纏足の歴史を紐解けば、明朝（1368年〜1644年）の時代にはすでに、全女性のおよそ半分が纏足をしていたと思われる。母親たちは、娘の足の大きさを自然に任せようとはしなかった。昔ながらのやりかたで足を縛り、10センチ以上にはならないようにしたのだ（それでもたいがい15センチほどにはなった）。その方法は簡単ではない。

耐えがたい痛みを伴うこの施術はふつう、娘が4歳から6歳のときに始められる。まず足をお湯に浸し、爪を短く切ってから、足をマッサージしてオイルを塗る。そのあと親指以外の指を折って足の裏にくっつけ

る。土踏まずのアーチが二つ折れになるので、その状態のまま絹の布できつく縛る。すると、親指が突き出た奇妙な三角形の足ができあがる。足は強く縛られ、4本の指がぎゅっと折りたたまれているせいで、足先への血流が滞り、往々にして組織は壊死してしまう。場合によっては、つま先が剥がれ落ちることさえあった。化膿すれば数日おきに布をほどいて膿を出すのだが、それでも感染が悪化することも多かった。壊死した皮膚は切り落とすこともあれば、腐って自然に剥がれ落ちることもある。多くの場合、足を縛られた少女は数カ月間歩けなくなるが、その後、足裏をさらに深く折り曲げる目的で、長い距離を無理やり歩かせる（よろめくように歩くことしかできない）。ときがたつにつれて、縛りかたはますますきつくなり、足は小さくなっていく。その結果「蓮の足」や「黄金の百合」と呼ばれる足ができあがる。縛られた足はどう考えても花のように香しくはなかったはずだが、多くの男性はその匂いを好み、蓮の形をした汗臭い靴にワインを入れて飲みたがった。また、纏足の女性がよろよろ歩く様子を、官能的だと捉えていた。

痛みを伴う纏足の慣習は1000年以上も続いたが、1800年代半ばには纏足反対運動が起きるようになった。その古いしきたりと闘っていたのは中国人だけではない。中国で活動をしていたヨーロッパ人宣教師たちも、纏足反対のキャンペーンに乗り出した（皮肉なことに、「野蛮」な纏足に反対していた当の宣教師たちも、ビクトリア朝のファッションで女性がきついコルセットを着け、そのせいで下部胸郭が内側に折れ曲がることもある野蛮な慣習については、おかしいとも野蛮だとも思わなかったようだ）。

1875年に漢民族の上流家庭に生まれた秋瑾は、纏足に反対する急先鋒となった。彼女はこの慣習に激しく抗議し（自分自身も纏足を施されていた）、こう言っている。「纏足によって、はかり知れない痛みと苦しみを味わったが、両親はなんの同情も示さなかった」。記録によると、若かった秋瑾はひそかに（そしてのちには公然と）足の縛りをほどいて、損なわれた足をもとに戻そうとしてみたが、実際はますます痛みがひどくなった。それでも、さまざまな方法を使って、彼女は中国を文字どおり縛っているこの古い足かせを断ち切ろうと決心した。逆説的なのだが、当時の中国は北部の満州で興った清王朝が支配していた。彼らには

独自の習慣があったため、纏足には反対だった。というのも満州の女性たちは厚底の靴を履いており、苦しい思いをせずとも纏足に似た優雅な歩きかたができるからだ。しかし、漢民族には纏足の慣習が根強く続き、ことに「野蛮」な満州のやりかたと一線を画す目的で、漢民族のあいだにいつまでも残っていたのである。

秋瑾は成長するにつれ、詩人としての才能を開花させていった（詩のひとつはこんな言葉で始まる。「そんなことは言うな／女は英雄になれないなどとは」）。それでも、ある程度は伝統を重んじる忠実な娘でもあった秋瑾は、18歳になると、親が決めたとおり裕福な商人と結婚する。ところがその男は大酒飲みで、売春婦好きで、おべっかを使って上流階級にすり寄る人物だった。地獄のような結婚生活に数年耐えたあと、秋瑾はすべてを捨てて日本へ逃れ、腐敗した満州清政権を打倒すべく、革命グループに参加した。秋瑾のもっとも重要な成果は、『謹んで中国２億の女同胞に告げる』という説得力ある檄文を書いたことだ。このなかで彼女は、纏足や男性への隷属を槍玉に挙げた。そして女性が経済的にも政治的にも遅れている原因の多くは、纏足によって動きを制限されていることにあると言っている。「そのため、だれかの援助に頼るしかなくなり、結婚すると、わたしたちはいつのまにか男性に支配され、家庭で奴隷のように使われるのだ」

秋瑾のように纏足を激しく批判する女性は多かったものの、いっぽうで強く擁護する女性たちもいた。奇妙なことに、纏足は平等化のための手段にもなる。たとえ貧しい娘でも、足が小さければ裕福な相手と結婚し、社会的地位を高めることができるからだ。もしほかの部分は魅力的でなくても、平均より足が小さければ、性的魅力のある女性になれる。そして、足の小さな娘がいれば家族の地位は上がる。なぜなら、家から出られず生産性のない女性を養う余裕が、その家族にはあるとみられるからだ。ただし最近の研究では、それと矛盾する見解も指摘されている。中国でも辺境の地方では、纏足をした娘たちが労働に使われていたのだ。彼女たちは遠くまで出かけられないため、しかたなく家のなかで織物や縫い物など退屈な手仕事をすることになる。事実上、足を縛られた労働奴隷だったのである。

1900年代初め、秋瑾はすでにフェミニストであり、革命家でもあっ

た。仲間の詩人、徐自華とともにフェミニスト新聞『中国女報』を創刊して、女性たちに自立を促し、自分の手で稼いで男性への依存をやめ、当然ながら纏足もしないよう呼びかけた。そして、女性が無理強いされている「蠱惑的なよちよち歩き」に魅了される男たちを腹立たしげに糾弾した。誠実で革新的なジャーナリズムにはよくあることだが、この新聞もわずか2号で終わった。すると、秋瑾はひるむことなく今度は女子体育学校（真の目的はあきらかに革命家の育成）を創設して校長になった。秋瑾には明るい——そして革命的な——未来が開けているように思えたが、どうやら同胞のひとりに裏切られたらしく、逮捕されて拷問にかけられ、1907年に首を刎ねられた。

　しかし、秋瑾のレガシーは生き続けた。彼女は中国の英雄だったし、今もそうだ。纏足は秋瑾の処刑から数年後の1912年に法律で禁止され、さらに重要なのは、慣習としての威光を失ったことである。中国の一部の地域、とくに人里離れた農村部では、1946年の共産主義革命後も纏足が続いていたものの、現在ではごくわずかなきわめて高齢の女性にみられるだけだ。そして、最後まで纏足用の靴を作っていた工場（小さな足に合わせ、人形用さながらの靴を作るのは専門性の高い商売だった）も1997年、ついに閉鎖された。

# 纏足の始まり

　もしかしたら、纏足が始まった原因は、一見無害に思える詩人たちのせいだったかもしれない（プラトンがみずからの理想国家において、詩人を追放せよと言ったのにはそれなりの理由があったのだろう）。ニューヨークにあるバーナード・カレッジのドロシー・コウ教授によれば、纏足が始まったのは、618年から907年まで中国を支配していた唐王朝の時代ではないかという。「華奢な足を理想とする風潮は、唐王朝の男性詩人たちによって作り上げられ、12世紀から13世紀にかけて、上流家庭の女性たちが実践しはじめた。その間の経緯は不明のため推測するしかないのだが、907年に唐王朝が崩壊すると、宮廷の踊り子たちは南部の高級娼館へと流れていき、緩やかな形の纏足——バレリーナのつま先立ちのような——を伝えたらしい」

　そこから、足の縛りかたはどんどん強くなり、その慣習が広まっていった。推定によれば、1800年代までには漢民族の約40%から80%の女性が纏足をしており、裕福な上流家庭ではおそらく100%に近かっただろうという。理想的とされた足は約7.5センチで、これが「金の蓮」。10センチだと「銀の蓮」でまずまずだが、それ以上の足はだれも望まなかった。「巨大」で「鉄の蓮」と呼ばれる13センチから15センチの足（それでも大人の女性用シューズの21センチよりもはるかに小さい）をした女性は、結婚相手がなかなか見つからなかった。

アインシュタインの脳

# EINSTEIN'S BRAIN

## AND A TALE OF CIDER BOXES, MASON JARS,

## AND, POSSIBLY,

## THE BIOLOGICAL BASIS OF GENIUS

どうしても覗いてみたかった
比類なき天才の頭のなか

**インシュタインは世界的に有名な天才**なので、わたしは知人たちからよくこう訊かれた。「あなたはアインシュタインと長く一緒にいますよね。彼の脳は完璧なのでしょう？」

——ユージン・ウィグナー（物理学者）

アインシュタインが生きていたころ、彼の脳が完璧だとは思わなかった人たちでさえ、なにかが違うのではないかと感じていた。われわれの平均的な脳では絶対にかなわないほどすぐれているのではないかと。では、いったいどう違うのだろう。それはだれにもわからなかった。結局のところ、まだ頭蓋内に収まっている脳を分析するのは少々難しいからだ。その後、1955年4月18日にアインシュタインが76歳で亡くなると、恐れ知らずのある病理学者が、その脳を手にするチャンスをつかみ取った。

アインシュタインは、プリンストン病院で激しい腹痛に苦しんでいた。ベッドのかたわらに置かれたテーブルには、走り書きのメモがあった。いわゆる「万物の理論」に関する研究の一部として、相対論と量子論をまとめる理論を構築しようとしていたのだ。しかし、午前1時15分、彼の体——そしてまだ機能していた脳——はついに最期を迎えた。

当直の看護師によると、アインシュタインは何度か深呼吸し、ドイツ語でなにかをつぶやいたあと亡くなったという。

プリンストン病院はすぐさま記者会見を開き、この天才が死亡したことを発表。その間に遺体は病理解剖のため解剖室に運ばれた。病理学者のトマス・ハーベイは、死因を公式に特定するため、規定どおりの解剖を行った（疑われていたとおり、長年の大動脈瘤が破裂していた）。ところがそのあと、予定では火葬のため遺体を家族に返すところが、ハーベイは余分な過程をひとつ付け加えた。アインシュタインの脳を摘出したのだ（分かち合いの精神により、アインシュタインの眼科医のために眼球も摘出した）。そしてようやく遺体は家族に返されて、その日のうちに火葬され、遺灰はマスコミに知られることなく、本人の遺志により海に散かれた。

遺体が完全なものではなかったことを、遺族は翌日『ニューヨーク・タイムズ』紙を読んで初めて知った。新聞の一面記事には「アインシュタインの脳から重要な手がかりを探る」という迫真的な見出しが付けられ、「相対性理論を生み出した脳」が「科学的研究のため」摘出されたと書いてあった。アインシュタインの息子ハンス・アルベルトと遺言執行者のオットー・ネイサン博士は困惑し、その軽率な病理学者を問い詰めると、相手はこんな天才の脳を摘出するのはめったにないチャンスだと思ってみずから事に当たったと認めた。

ハーベイは、先輩の科学者たち（いわばかっこ付きの科学者だ）のやりかたに倣ったのだ。彼らは、とりわけ有名人や、場合によっては悪名高い人物の脳をなんとしても自分の手で調べたいという、いわば「脳フィーバー」に取りつかれていた。そもそも、脳の灰白質に対する執着が生まれたのは、数千年前の紀元前5世紀で、南イタリアのクロトン出身のアルクマイオン［ギリシャ人の医師、哲学者］が、精神の座は脳にあると気づいたときから始まった。それ以来、脳は追究の的となり、脳の解剖こそが研究の要になった。しかし、流行は訪れては去っていくもので、科学の名のもとに人体を切り刻むことは、顰蹙を買うようになった（ただし、戦争とナショナリズムの名のもとに行う解剖は容認されていた）。ようやく13世紀になって、科学目的での人体解剖がふたたび熱を帯びはじめた。それから300年後、軟部組織の保存法が開発されたことで、脳

研究は飛躍をとげ、研究者たちが研究目的で内臓を集められるようになった。

　脳の収集が本格的になったのは 1800 年代のことだ。脳に関係のあることなら、頭の凹凸を「科学的」に研究する骨相学から、頭の形状を犯罪と結びつける隔世遺伝的分類、そして脳そのものにいたるまで、なにもかもが話題になった。脳の研究はハイピッチで進んだ。科学者たちは脳を収集し、分析し、比較した。1800 年代後半、バート・グリーン・ワイルダーという研究者が、自分が収集した脳を大きくふたつに分類した。ひとつは「教育を受けた秩序正しい人たちの脳」で、その持ち主だったのは（白人男性の）学者や著名人だ。もうひとつは「無名人、精神障害者、犯罪者の脳」で、こちらは精神疾患の患者や犯罪者だけでなく、マイノリティーや女性も含んでいる。脳学会や「脳同好会」も結成された。そこでは、科学者や脳に関心のある素人が集まって議論したり、のちの研究のために自分の脳を提供する約束をしたり（もちろん死後に）、有名人にも同じように脳を遺贈するよう説得したりしていた。人びとがここまで脳に魅了された根底には、とびきり優秀な人たちの脳はなにかが違うはずだという信念があった。ほかの人と一線を画するなにかが……。そして話はハーベイとアインシュタインの脳へと戻ってくる。

　遺族はアインシュタインの脳を科学に委ねるべきだ、とハーベイは主張した。正式な同意書を作成しないまま（そのせいもあって、ハーベイには脳を「盗んだ」男という噂が長年つきまとった）、遺族と遺言執行者は最終的にハーベイの行為を受け容れ、脳が研究に使われることを認めた。しかし、それにはひとつ大事な条件があった。できるだけ目立たないようにしたいというアインシュタインの遺志に従って、家族はすべてのプロセスを静かに行ってほしいと願ったのだ。マスコミに騒がれることがないように。

　遺族の願いはかなえられた。アインシュタインの脳に関することがらは、なにひとつメディアに出なかったし、研究も発表されなかった。彼の脳は人びとの視界からも心からも消えてしまったが、25 年後、『ニュージャージー・マンスリー』誌の勇敢な記者が「アインシュタインの脳を捜す」旅に出た。その記者スティーブン・レビーはハーベイの行方を追い、カンザス州ウィチタでようやく捜し当てた。そこでハーベイが出

してきたのは、ビール保冷庫の裏に押し込んであった、サイダーの段ボール箱で、そのなかには丸めた新聞とともに、ふたつのガラス瓶が入っていた。「メイソンジャー［食品貯蔵用の密閉ガラス瓶］のなかに浮いていたのは……脳のいくつかの部分だった。ホラ貝ほどの大きさをした灰色の塊で、表面は線で区切られており、見たところスポンジのように柔らかそうで……」

そして、もうひとつの大きめの瓶は、上部にマスキングテープが巻かれていた。そのなかには「長方形をした半透明のケースが何十個も入っており、大きさはゴールデンバーグのピーナッツチューズ［チョコレートバー］ほどで、それぞれに『大脳皮質』と書かれたステッカーが貼られ……ケースのなかには、皺の寄った灰白質の塊があった」

これがアインシュタインの脳だった。

ハーベイの説明によると、脳は240のサンプルに切り分け、顕微鏡スライドを作成して、著名な神経病理学者たちに送ったという。残りの部分は自分の研究のために保管していたものの（結局、研究はしなかった）、もしかしたらもっと著名な科学者たちがアインシュタインの脳を研究したがるのではないかと期待もしていた。しかし、ほとんどの研究者はあまり興味を示さなかった。なぜなら、脳を摘出した件で倫理面での論争が持ち上がっていたからだ。そのため、研究結果がようやく公表されたのは、数十年後のことだった。

さて、アインシュタインの脳を分析した結果、はたして天才の素質があきらかになったのだろうか。たしかなことはいえないが、研究者たちは注目すべき発見がいくつかあったと考えている。カナダのマクマスター大学の研究者が行った1999年の報告によると、アインシュタインの脳は実際のところ平均より小さいことがわかった。けれども、たとえば頭頂葉のような特定の部分は平均より大きく、著しく発達していた。その15年ほど前、カリフォルニア大学バークレー校の研究者たちが発見したのは、アインシュタインの脳は神経細胞に対するグリア細胞の比率が高く、グリア細胞同士の接続数も多いことだった（わかりやすい言葉にすると、アインシュタインはおそらく高い認知能力を持っていたおかげで、たいていの人よりもたやすく創造的な飛躍ができたということだ）。ただ、これは当時も今も推測にすぎない。わたしたちは脳の構造が

知性にどんな影響を与えているか、まだ理解しはじめたばかりなのだ。

　ハーベイは、自分が脳を「盗んだ」行為も、ある程度は汚名をそそがれたことを知っていただろうか。彼は94歳で亡くなったが、その場所は、まさにアインシュタインが亡くなり、自分がその脳を摘出した病院だった。

# ベニート・ムッソリーニの
# 脳を返してください

　イタリアの独裁者ベニート・ムッソリーニの脳もまた、頭蓋から取り出されたという意味で注目に値する。このファシスト指導者が共産主義の銃殺隊によって1945年に殺害されたあと、ミラノ法医学研究所の医師たちは病理解剖を行い、かなり損傷を負ったその脳を摘出した（それほど損傷したのは、銃殺隊が死体を逆さ吊りにし、民衆も蹴ったり殴ったりしてなぶりものにしたからだ）。アメリカ政府は脳の標本を提供するよう求めた。ムッソリーニの奇怪な行動が、未治療の梅毒による進行麻痺［脳実質が冒される神経障害］によるものだという説を検証しようとしたのである（おそらく戦利品にもしたかったのだろう）。脳の標本を入れた試験管はワシントンDCに送られ、医師が研究した結果、脳はまったくの正常だった。標本は、ひとつをセント・エリザベス病院で、もうひとつを陸軍病理学研究所で保管することになった。そして脳はおおかたの人から忘れられたが、ムッソリーニ夫人だけは別だった。夫人は行方不明になっていた夫の死体を1957年に

取り戻し、できるだけ完全な状態で埋葬するため、脳を返してもらおうとした。そしてイタリア駐在のアメリカ大使に要請の手紙を書き続け、1966 年にようやく政府当局が同意した。ただ、標本は半分しか見つからなかった。セント・エリザベス病院のものは行方不明になっていたのだ。しかし、半分でもなにもないよりはましに決まっている。脳の標本はただの白い封筒に入れられ、「ムソリニー」と（綴りの間違った）名前を書いてフィレンツェに送られて、おそらくは遺体とともに埋葬されたものと思われる。それにしても、行方不明の脳はどうなったのだろう。たしかなことはだれにもわからない。しかし、2009年、eBay のリストに、あるものが載っていた。匿名の売り手が、ムッソリーニの脳の断片をわりと安価な 1 万 5000 ユーロで出品していたのだ（ムッソリーニの孫娘から知らされて、eBay はこの出品を取り消した）。

フリーダ・カーロの脊柱

# FRIDA KAHLO'S SPINE

### AND THE POSITIVE SIDE OF BEING
### BEDRIDDEN FOR NINE MONTHS

鉄の棒が突き刺さった
元祖自撮り女王の根性

1907年〜1954年

---

**歴**史的な体と画家フリーダ・カーロ、といえばほとんどの人がすぐさま、あの太い「一本眉」を思い浮かべるだろう。それも無理はない。自画像では眉がきわめて特徴的だし、写真でもとくに目立っている（実際、カーロはアイライナーで眉を描き足してさらに強調していた）。眉は彼女のシンボルであり、トレードマークであり、このアーティスト自身をひと目であらわすしるしでもあるのだ。

　よい例がある。「フリーダ・カーロ・バービー」人形が2018年に発売されたとき、激しい批判が起きた。それは、フェミニスト画家たる彼女が、ありえないようなプロポーションに変えられてしまったからではなく、人形の一本眉がじゅうぶん際立っておらず、「フリーダ」らしくなかったからだ。しかし、人目を引くこの一本眉も、もしカーロをほんとうの意味で今日のようなアイコンにしたある体の部位がなかったら、ただの剃り忘れた毛で終わっていたかもしれない。その部位とは、脊柱である。

　当時18歳だったカーロは、恋人のアレックス・ゴメス・アリアスとバスに乗っていたとき、路面電車との衝突事故に巻き込まれた。アリアスがのちに語っているように、事故の衝撃でバスは「1000個の部品がバラバラになった」という。部品のひとつ——手すりの鉄の棒——がカ

ーロに突き刺さり、腰を貫いて、脊柱を3カ所砕いた。アリアスが語った
たその場面は、まるでカーロの絵画みたいなマジック・リアリズムの世
界だった。

---

　奇妙なことが起きた。フリーダは素っ裸だった。衝突のせいで服
が脱げていたのだ。乗客のひとりが、たぶん塗装職人だったのだろ
う、金粉入りの袋を持っていた。その袋が破れて、血にまみれたフ
リーダの体じゅうに金粉が降ってきた。その姿を見た人たちは「ラ・
バイラリーナ、ラ・バイラリーナ！」と叫んだ。血まみれの赤い体
に金粉をまとった彼女をダンサーだと思ったのだ。

---

　その姿は非現実的に見えたかもしれないが、結果はまぎれもない現実
だった。カーロは脊柱治療のため体幹ギプスに包まれ、3カ月間は歩く
ことも立つこともできなかった（以前にも同じような経験をしている。
6歳のときポリオに罹って9カ月間寝たきりだったのだ）。退屈をまぎら
わせ、痛みから気をそらすため、カーロは特別製のイーゼルと、寝たま
ま描けるよう体を支える補助具を作ってもらった。また、ベッドの上に
鏡を取りつけて、いつでも絵の題材がそこにあるようにした。その題材
こそ、カーロの作品の特徴となった彼女自身である。こうしてアーティ
ストであり元祖自撮りのスーパースター、フリーダ・カーロが誕生した。
　病院のベッドから始まり、彼女はスマホがない時代の（しかもずっと
精密な）自撮りとして、何度も何度も自分自身をキャンバスに写し取っ
た。1954年に亡くなるまで55枚の自画像を描いたが、そのほとんどは
自分自身の単純な描写ではなく、シュールな重ね描きや装飾が施されて
いる。さながらスナップチャットに加工フィルターを重ねるようなもの
だが、それよりも知的で比喩的で洗練されたやりかたである。
　実際のところ、カーロの全作品のうち自画像は4割弱にすぎない。そ
れ以外の88作品では自分を主役にせず、人生をかけて愛したメキシコ
のさまざまな姿に焦点を当てている。カーロはメキシコの独立に強くこ
だわり、みずからの誕生日まで変えてしまったほどだ。
　カーロは1907年に生まれたが、周囲には1910年生まれだと言ってい
た。これはなにも見栄を張って3歳若く見せようとしたわけではなく、

メキシコとのつながりを強調するためだった。1910年はメキシコの独立戦争開始100周年記念の年なのだ。

それでも、やはりほとんどの人がまず思い浮かべるのも、どこかで目にしたことがあるのも、彼女の自画像である。現在ではマグカップやTシャツ、絆創膏、キッチンタオルなどあらゆるものに、濃い一本眉の下からまっすぐこちらを見つめるフリーダが描かれている。こうした「フリーダ熱」はあきらかに現代的な現象であり、彼女の作品が再発見された1970年代後半に始まったものだ。それ以前、美術界の外で彼女が知られていたのは、ひとりの有名アーティストとしてではなく、有名アーティスト夫人として、つまりディエゴ・リベラ夫人としてであった。事実、『ニューヨーク・タイムズ』紙に掲載された彼女の死亡記事の見出しには「フリーダ・カーロ、アーティスト、ディエゴ・リベラの妻」と書かれている（彼女自身の芸術活動については数行しか触れられていない）。

夫のディエゴ・リベラはメキシコ芸術の第一人者で、政治的な題材の絵画、とくに巨大なフレスコ画で名を馳せていた。ディエゴとカーロの結婚も同じように政治的だった（どちらも共産主義の活動家でメキシコの民族主義者だ）。ふたりの関係は複雑なことでも知られていた。リベラは名うての女たらしで、結婚後すぐに浮気をした。カーロはその報復に、自分も男性や女性（そのうち何人かはリベラとも寝ていたらしい）と関係を持ったので、さながら報復合戦のような様相を呈した。リベラがフリーダの妹と関係を持つと、今度はカーロがリベラの尊敬するソ連の革命家レフ・トロツキーと浮気をした。数々の不貞により、ついにふたりは結婚10年後の1939年に離婚したが、そのわずか1年後に再婚する。どうやらふたりは、これほどのごたごたがあっても離れてはいられなかったようだ。カーロはこう言っていた。「わたしの人生には大きな事故がふたつありました。ひとつは路面電車で、もうひとつはディエゴ。ディエゴのほうがはるかに悪いわね」（リベラのほうはおもしろがって彼女のことを「オレの人生の偉大な真実」と呼んだ）

リベラはある意味、彼女の人生を支配したが、カーロの脊柱は別の意味で彼女の人生を支配した。カーロは残りの人生をずっと脊柱に苦しめられていたのだ。何度か手術をしたほか（脚や脊柱を合計30回も手術している）死ぬまでずっと石膏のコルセットを着けたり外したりしてい

た。そして、寝たきりの療養期間を利用して芸術を生み出したように、コルセットでも同じことをした。コルセットに絵を描いたり、模様の入った布を切り取ってコラージュのように貼りつけたりしたのだ。そこには路面電車や猿、鳥、熱帯植物などが入り交じっていた。コルセットを着用すれば自分自身が動くキャンバスであり、人間絵画であり、3D版の自画像でもあった。自画像にはみずからの病状を描くことが多く、なかでも《折れた背骨》という作品はあからさまに脊柱をモチーフにしている。

　1953年4月、カーロの夢はついに実現した。メキシコで初めての個展を開いたのだ。成功を祝すオープニングレセプションにまさか本人があらわれるとは、だれも思っていなかった。なぜなら医師の指示でベッドにいたのだから。そしてベッドといえば、ギャラリーの真ん中に置いてある四柱式ベッドはなんのためなのか、観客たちは首をひねっていた。しかしそれもすぐ謎が解けた。救急車がギャラリーに到着し、カーロがストレッチャーで運ばれてきた。観客が道を空け、カーロは用意してあったベッドに横たえられた。全員の注目を浴びながら、不屈のフリーダ・カーロはゲストや後援者たちに挨拶をしたのである。

# 一本眉の歴史

　一本眉を強調して劇的な効果を狙ったのは、フリーダ・カーロだけではない。古代ギリシャの女性は、アンチモンという濃灰色の半金属を使って眉毛を濃く見せ、一本につなぐことがよくあった。いわゆる「眉毛癒合（synophrys）」（synは「つながっている」を、phrysは「眉毛」を意味する）の状態である。一本眉は美しさだけでなく知性のしるしともみなされ、作家たちも賞賛した。たとえば古代ローマの文筆家ペトロニウスは、自分の理想とする女性の眉毛は「目のすぐそばで、ほぼ一本につながっている眉」だと記している（そう、ほぼだ。どうやら、ほぼ一本眉というのがもっともファッショナブルだったらしい）。古代ギリシャの詩人アナクレオンは、愛人の眉が「つながっても離れてもいない」と書いている。それ以来、一本眉は時代や国によって流行ったり流行らなかったりした。インドでは大流行し（絵のなかの女神や王妃はつねに眉が濃い）、古代ペルシャではまったく流行らなかった。眉毛もほかの体毛も糸で剃るのが流行だったからだが、後世の1700年代、ガージャール朝時代には一本眉が流行るようになった。ヨーロッパでは一本眉は流行しなかった。なぜなら、広い額こそが重要だったからだ。女性たちは眉毛を抜いて鉛筆で書いたように細くし、中世の美の極みである広い額を作り出した。

# 「夫婦で画家」に
# まつわる偏見

　カーロも絵を描き続けていたにもかかわらず、ふたりの結婚生活で
はたいてい、リベラが注目と名声をほぼひとり占めしていた。1932
年、リベラが産業をテーマにしたフレスコ画シリーズを依頼され、ふ
たりはデトロイトへ行った。記者たちが25歳のカーロに、あなたも
画家なのかと尋ねると、彼女は「世界一のね」と答えた。その答えと
態度で、カーロは一躍脚光を浴びた……といえなくもない。ひとりの
記者は、リベラではなくカーロのことを『デトロイト・ニュース』紙
で書くことにした。ところが、その褒めかたはかなり嫌味を込めたも
ので、カーロは「一人前の画家」だし、その作品は「決してふざけて
いるわけではない」と書かれていた。記事の見出しはこうだ。「大物壁
画家の妻　絵のまねごとをして楽しむ」。それから数年後の1939年、
サンフランシスコのシティー・カレッジにある、カーロの姿も描き込
まれたリベラの壁画を『ライフ』誌が記事にしたとき、彼女は単に
「ディエゴ・リベラ夫人」と記されていた。

　こうした偏見はアートの世界では珍しくもない。女性画家が仲間の
画家と結婚すると、何年たっても「画家の夫人」と呼ばれることにな
る。写実主義の画家エドワード・ホッパーの妻ジョセフィン・ホッパ

ーは、ピカソやモディリアーニなど有名画家と並んで展示されるほど成功を収めた画家だった。ところが、いったん夫の仕事が軌道に乗ると、彼女の作品は忘れられていった。ジョセフィンはいまや、夫の絵画に多く登場する女性としてのほうがよく知られている。1940年代から50年代には、抽象表現主義の画家リー・クラスナーが、夫であるジャクソン・ポロックの陰に隠されてしまった。また、デ・クーニングと聞けば、たいていはエレインでなく夫のウィレムを思い浮かべるだろう。エレインは立派な画家で、とりわけ肖像画家として成功している（ケネディ大統領から肖像画を依頼されたこともある）。それでも、デ・クーニングといえばウィレムなのである。

　しかしカーロの場合、時間がパワーバランスを変えた。いまや、大衆の心に訴えるのはカーロなのだ。ディエゴ・リベラのほうは、そっくりさん世界一を決める大会が開かれたこともない。ディエゴ・リベラのスニーカーも時計も植木鉢も、ディエゴというタイトルの映画も作られていない。実際のところ、最近このふたりの作品を展示したキュレーターによると、観客のために紹介が必要なのは、リベラであってカーロではないという。

# 27

アラン・シェパードの膀胱

# ALAN SHEPARD'S
# BLADDER

## AND THE PROSAIC
## BUT IMPORTANT
## PROBLEMS OF
## SPACE ELIMINATION

宇宙空間での排泄という
些末ながらも重要な問題

**1** 961年、NASA 生命科学プログラム局のフリーマン・<ruby>生命科学<rt>ライフサイエンス</rt></ruby>H・クインビー博士は、こう断言していた。「最初の宇宙飛行士は "用を足す" 必要がないのです」。というのも、アメリカ初の宇宙飛行士アラン・シェパードが宇宙に滞在する時間はたった 15 分間。だから問題ないだろう、と。

　しかしそうでもなかった。NASA は離陸するまでの時間を考慮していなかったのだ。発射時間が遅れたせいで、シェパードは宇宙服を着たまま宇宙カプセルに 8 時間も座らされていたため、膀胱が満杯になってしまった。クインビー博士が自信を持って宣言していたにもかかわらず、シェパードはなんとしても "用を足す" 必要があったのだ。そこには排泄物の除去という問題だけでなく、人間であるがゆえの永遠の問題も存在する。わたしたちはあまりにも人間的すぎる体を持っているというのに、計画のなかではそれが無視されがちなのだ。たとえば、宇宙カプセルのなかでじっと耐えていたアラン・シェパードの膀胱のように。

　もはや我慢できなくなったシェパードは、差し迫った問題についてNASA に連絡した。どうすればいいでしょう。すると返ってきたのは、そのまま宇宙カプセルのシートに座っているように、という明快な答えだった。シェパードは宇宙服のまま排尿してもいいかと管制センターに尋ね、正式に許可された。それほど気持ち悪くはなかった、と彼はあと

から語っている。「わたしたちは綿の下着を着けていたので、すぐ吸収されて、打ち上げまでには完全に乾いていました」。ところが科学的には問題が生じた。おしっこをしたことで、飛行中の生体反応を監視する医療用センサーの電極ワイヤーがショートしてしまったのだ。

こうして、シェパードの膀胱によって、男性が（のちには女性も）宇宙に滞在する際の重要な問題がひとつ浮かび上がった。宇宙空間でたとえば排泄のような避けがたい生理現象にどう対処するか、ということだ。これは決して華やかな話題ではないものの、慣れ親しんだ地上の家を離れるときに直面する大きな問題だ。なんといっても家にはトイレという便利な設備があるのだから。

ともあれ、まずは大事なことから。問題のあったシェパードの飛行（それ以外は成功だった）以来、NASAは宇宙服を着たまま排尿するという緊急の課題に取り組みはじめた。おしっこの我慢を歴史的に掘り下げてみると、ある問題に行き着く。任務中に服を着たまま排尿することは、歴史的に見ればたいして重大な問題ではなかったものの、おそらくひとつだけ例外がある。きらびやかな甲冑、とりわけ15世紀から16世紀初めにかけての板金甲冑に身を包んだ騎士である。

戦闘に臨む騎士は、甲冑によって敵の投石や矢から身を守られている。ただ、戦いの最中でも尿意を催すことはある。そうなったとき、名誉ある騎士といえども、いわば鎧に閉じ込められた状態でなにができるだろう。しかし、なにごとにもよい面があるもので、板金甲冑は宇宙服ほどすっぽり体を包んではいない。なぜなら、騎士はなめらかに、かつ快適に馬に乗る必要があるため、甲冑はメタル製のジャンプスーツというわけではないからだ。実際のところ、甲冑はいくつかの部分に分かれており、通常は兜、胸当て、籠手、鋼鉄製の脚鎧、パッド入り乗馬ズボンで構成されている。ときにはその下に鎖帷子のパンツや股間を保護するスカート（連結していることが多い）を穿くこともあった。これは腰から腹の部分を覆うフォールドと、腰から尻の部分を覆うキュレットで構成されている。だから、騎士は（理論的には）缶切りがなくても用を足すことができたのだ。

悪い面はというと、それが容易ではなかったこと。金属製のガントレットは、ミトン式のものでもスカートを持ち上げることはできるのだ

が、ただ手間がかかる（気の毒にも、従者には嫌な仕事がふたつある。戦闘中の騎士がトイレに行く暇がない場合、ひとつは騎士のフォールドかキュレットのどちらか必要なほうを持ち上げて、用を足す手伝いをすること。もうひとつはさらに不快な、甲冑を洗う仕事だ。水を節約するため、通常は砂や酢や尿で洗う）。さらに重要なのは、現代人でも甲冑を着たことがあればわかるだろうが、甲冑の内側は暑い。だから、尿となるはずの水分はほとんど汗として排出される。それでもやはりしたくなったら、アラン・シェパードと同じことをするしかない。シェパードの場合、尿の多くは吸収されただろうし、騎士の場合も、甲冑の下に着けている厚いパッドに吸収されるはずだ。ただし、それはほぼ推測である。排尿法については、仕組みがほとんど記録されていない。というのも、騎士団の年代記編者たちはどうしても騎士道的行為に焦点を当てたがるからだ。

　そして20世紀半ばでも、宇宙時代の排泄に関する文書には、同じような欠落がみられる（発表された研究のなかには過度に婉曲的な表現があるのだ。たとえば、この話題を扱ったイギリスの研究論文では、「不浸透性の包みで男性の"尿管"を覆う方法」に言及している。現代科学では一般人と同様、これを「ペニス」と呼ぶ）。それでも、わたしたちが知っていることはある。シェパードに続く飛行で、宇宙飛行士ガス・グリソムが着た宇宙服には蓄尿袋が付いていて、これはかなりうまくいった。ただ、少しきつくて飛行士によっては尿の漏れと皮膚の炎症を訴えた（グリソムは尿の排出量を減らすため、打ち上げ当日の朝はコーヒーを禁じられた）。そしてジョン・グレンが地球周回軌道を飛行するころには、尿の回収法も改善されていた。改造したコンドーム——「ロール・オン・カフ」——を体外式カテーテルとして使ったのだ。エンジニアたちはさまざまなブランドのコンドームを買ってきて試し、漏れないものを見つけ出して、そのメーカーにもっと強い製品を作るよう依頼した。当然、通常のコンドームとは違って、その製品には先端に穴が開いていて、ぴったりフィットする宇宙服で固定された蓄尿袋へとつながっている。話によると、NASAのコンドームにはS、M、Lの3サイズが用意されていた。すると予想どおり、宇宙飛行士は全員がLのコンドームを希望したので、NASAはちょっとひねりを加えて、そのサイズを「特大」

「巨大」「超　大<sup>アンビリーバブル</sup>」に変えた。

　とはいえ、期待したほどすんなり事が運んだわけではない。グレンの飛行後、そしてとりわけ彼に続く宇宙飛行において、科学者たちは人体──とそれをコントロールする精神──を特殊な環境に順応させなければならないことを学びはじめた。たとえば、グレンは最初の飛行の際、排尿のタイミングが遅れたらしい。通常、人間の膀胱は尿が3分の1ほど溜まると尿意を覚えはじめ、3分の2ほどになると我慢できなくなる。それを超えると痛みや鋭い不快感があらわれてくる。どうやら宇宙飛行士グレンは、膀胱がいっぱいになってもまだ尿意を感じなかったようだ。問題は重力にあった。無重力状態だと尿は膀胱の底に溜まらないため、おしっこをしたいという感覚はさほど強くならない。けれども、尿が膀胱内に長く溜まりすぎると、膀胱括約筋が圧力を受けて損傷し、失禁が長く続くことになりかねない。

　では、女性飛行士の場合はどうなのか。まずは NASA が女性嫌い<sup>ミソジニー</sup>を克服しなければならなかった。1952年、NASA は女性がその「身体的特徴」のため、宇宙には向いていないと威厳たっぷりに表明したが、実のところ、宇宙飛行士の体力テストに合格したのは、女性が68%だったのに対して男性は56%という結果を無視していた。そして1964年の報告書では、「精神生理学的に不安定な時期の人間が、複雑な機械を扱うことの困難」を論じている（要するに……月経前症候群のことを言っているのだ）。やがて女性が乗船するようになると、新たな尿処理法を開発する必要が出てきた。そうして「最大吸収性下着」つまり宇宙時代のおむつが誕生し、まもなく男性にも使われるようになったのである。

　しかし、大便のほうは予想どおりもう少し厄介だった。NASA の「糞便封じ込めシステム」は使い勝手があまりよくなく、その大仰な名前にも負けていた。これは NASA も認める「きわめて基本的なシステム」で、要するにお尻に付けたビニール袋のことであり、宇宙飛行士は宇宙服の背中側にある蓋を開ければ手が届く（宇宙船内にはトイレットペーパー用の備品庫もあった）。これは予想外かもしれないが──だれにとっても「考えたくない」ことだし、読者は心の準備が必要だ──無重力のせいで、排便を自分の手で誘導する必要があり、多くの場合、手で切ったりつまみ取ったりしなければならなかった。ただ、このビニール袋

の横には「指カバー」が付いているので、宇宙飛行士は手を汚さずにそうした処理ができた。排便作業の工程は全部で45分ほどかかった。女性宇宙飛行士のペギー・ウィットソン（宇宙で665日間過ごした）によると、排便は無重力での作業のうち、いちばん嫌いだったという。当然ながら、窮屈な宇宙船内では匂いもこもってしまう。そのうえ、漏れることもある。1969年、トム・スタッフォードがアポロ10号で発した言葉は今でも語り草だ。「急いでナプキンを持ってきてくれ。空中にうんこが浮いている」

　排便の話題はこれくらいにして、締めの言葉を。たしかに人間は星に手が届いたかもしれないが（アラン・シェパードの初飛行はもう少し低くて電離圏止まりだったが）、いまだに排泄の問題からは逃れられないでいる。なぜなら、わたしたちには体があり、その部位にはそれぞれの役割と、欲求があるからだ。あまり目立たない膀胱にさえ。

# 月面で最初に
# おしっこをした人間

　アポロ11号のパイロットだったバズ・オルドリンは、月に降り立った2番目の人類だが、自慢してよいのは（実際、本人は自慢していた）月面で最初におしっこをしたことだ。このありがたくない名誉は、あらかじめ計画されていたものではない。国立航空宇宙博物館の宇宙史部門のキュレーターであるティーゼル・ミュア゠ハーモニーによると、「彼が月着陸船をあまりにも静かに着陸させたため、圧縮するはずの脚部が縮まなかった」。そのため、着陸船から月面に降り立つとき、小さく一歩踏み出すはずが、オルドリンは跳び上がってしまい、月に着陸したときの衝撃で採尿袋が破れた。「だから、尿は本来行くべきところへ行かず、片方のブーツのなかに流れ込んだ。彼は月面を歩きまわりながら、ビシャビシャした感じを味わったかもしれない」

# 宇宙での月経期間

　1983年、宇宙飛行士サリー・ライドが最初の飛行をする直前、NASAのエンジニアたち（おそらくすべて男性）は彼女に面と向かって、基本的な質問をした。1週間のミッションにタンポンがいくつ必要か、と。「100本くらいでいいのか？」と無邪気に尋ねる。「いいえ」と彼女は冷静に答えた。「そんなには必要ありません」（1回の月経期間に使われるのは平均20本だ）

　タンポンの数はささいな問題にすぎない。無重力状態で尿が予期せぬ問題を起こした例もあるため、（男性）科学者たちは月経血が腹部のほうへ浮き上がって問題を起こすのではないかと懸念した。しかし、女性宇宙飛行士たちは月経血が逆行することはないと確信していた。そしてその言葉は正しかった。多くの生理学的機能と違って、月経は宇宙飛行の影響をまったく受けないらしく、基本的には地上と同じである。もちろん、地上でも問題になる可能性はあるため、ほとんどの女性宇宙飛行士は経口避妊薬かIUD（子宮内避妊器具）を使っている。

# RESOURCES

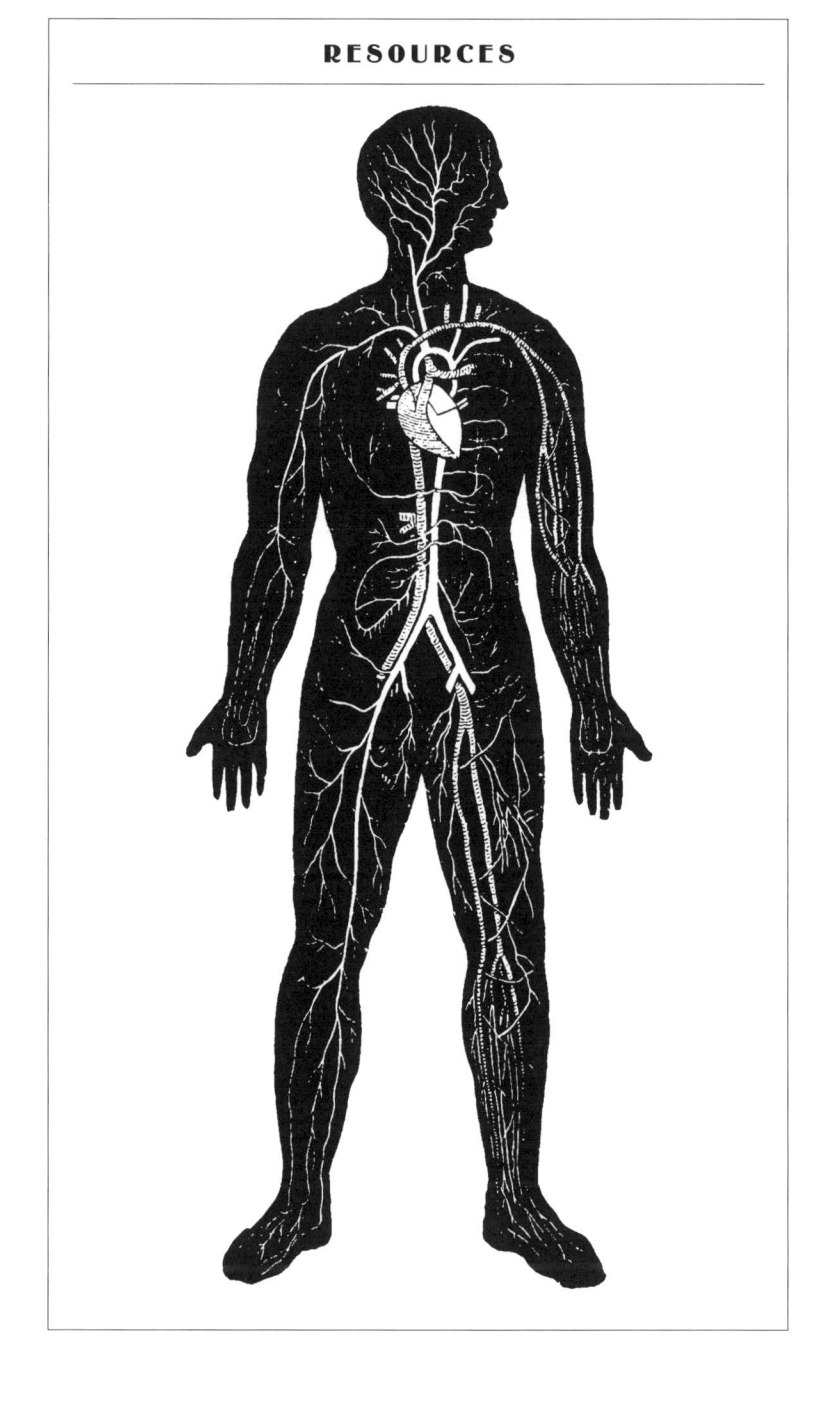

| **I** | 旧 石 器 時 代 の 女 性 の 手 |

- Basedow, H. *Knights of the Boomerang*. Sydney, Australia: The Endeavour Press, 1935.

- Dobrez, P. "Hand Traces: Technical Aspects of Positive and Negative Hand-Marking in Rock Art." *Arts* 3, no. 4 (2014): 367–393. https://doi.org/10.3390/arts3040367.

- Groenen, M. "Les représentations de mains négatives dans les grottes de Gargas et de Tibiran (Hautes-Pyrénées). Approche méthodologique." *Bulletin de la Société Royale Belge d'Anthropologie et de Préhistoire* 99 (1988): 81–113.

- Gross, C. G., C. E. Rocha-Miranda, and D. B. Bender. "Visual Properties of Neurons in Inferotemporal Cortex of the Macaque." *Journal of Neurophysiology* 35 (1972): 96–111.

- Leroi-Gourhan, A. *The Art of Prehistoric Man in Western Europe*. London: Thames & Hudson, 1967.

- Petrides, M., and D. N. Pandya. "Distinct Parietal and Temporal Pathways to the Homologues of Broca's Area in the Monkey." *PLoS Biology* 7, no. 8 (2009): e1000170. https://doi.org/10.1371/journal.pbio.1000170.

- Romano, M., et al. "A Multidisciplinary Approach to a Unique Paleolithic Human Ichnological Record from Italy (Bàsura Cave)." *eLife Sciences* 8 (2019): e45204. doi: 10.7554/eLife.45204.

- "Science Notes: Paleolithic Cave Art and Uranium-Thorium Dating." *Current Archeology*, April 24, 2018. https://archaeology.co.uk/articles/sciencenotes/science-notes-palaeolithic-cave-art-and-uranium-thorium-dating.htm.

| **2** | ハ ト シ ェ プ ス ト 女 王 の 顎 ひ げ |

- Cooney, K. *The Woman Who Would be King*. New York: Oneworld Publications, 2015.

▸ Izadi, E. "A New Discovery Sheds Light on Ancient Egypt's Most Successful Female Pharaoh." *Washington Post,* April 23, 2016. https://www. washingtonpost.com/news/worldviews/wp/2016/04/23/a-new-discovery-sheds-light-on-ancient-egypts-most-successful-female-pharaoh/?noredirect=on&utm_term=.953365a29387.

▸ Mertz, B. *Temples, Tombs and Hieroglyphs: The Story of Egyptology*. New York: Harper Collins, 2007.

▸ Robins, G. "The Names of Hatshepsut as King." *The Journal of Egyptian Archaeology* 85 (1999): 103–112.

▸ Tyldesley, J. *Hatchepsut: The Female Pharaoh*. London: Penguin Books Ltd., 1998.

▸ Wilford, J. N. "Tooth May Have Solved Mummy Mystery." *New York Times*, June 27, 2007. https://www.nytimes.com/2007/06/27/world/middleeast/27mummy.html.

▸ Wilson, E. B. "The Queen Who Would Be King." *Smithsonian Magazine*, September 2006. https://www.smithsonianmag.com/history/the-queen-who-would-be-king-130328511.

## 3 | 最 高 神 ゼ ウ ス の ペ ニ ス

▸ Aristotle. *Generation of Animals*. Translated by A. L. Peck. Loeb Classical Library 366. Cambridge, MA: Harvard University Press, 1942.

▸ Chrystal, P. *In Bed with the Ancient Greeks*. Stroud, UK: Amberley Publishing, 2016.

▸ Hubbard, T. K. *Homosexuality in Greece and Rome: A Sourcebook of Basic Documents*. Berkeley: University of California Press, 2003.

▸ Jenkins, I. *Defining Beauty: The Body in Ancient Greek Art*. London: British Museum Press, 2015.

▸ McNiven, T. J. "The Unheroic Penis: Otherness Exposed." *Notes in the History of Art* 15, no. 1 (1995): 10–16. https://www.jstor.org/stable/23205709.

▶ North, H. F. "The Concept of Sophrosyne in Greek Literary Criticism." *North Classical Philology* 43, no. 1 (1948): 1–17.

## 4 ｜ クレオパトラの鼻

▶ Ahmed, E. M., and W. F. Ibrahim. "Hellenistic Heads of Queen Cleopatra VII." *Journal of Tourism, Hotels and Heritage* 1, no. 2, (2020): 30–39. https://sjs.journals.ekb.eg/article_125082_35e077628922bdab4ad39c8049716aca.pdf.

▶ Ashton, S. A. "Ptolemaic Royal Sculpture from Egypt: The Greek and Egyptian Traditions and Their Interaction." Doctoral dissertation, University of London, 1999.

▶ Bianchi, R. S., et. al. *Cleopatra's Egypt: Age of the Ptolemies*. New York: The Brooklyn Museum, 1988.

▶ "Cleopatra and Egypt." Humanities Department, Macquarie University. http://www.humanities.mq.edu.au/acans/caesar/CivilWars_Cleopatra.htm.

▶ Kleiner, D. E. E. *Cleopatra and Rome*. Cambridge, MA: Harvard University Press, 2009.

▶ Pascal, B. *Pensées*. London: Penguin Books Ltd., 2003.〔パスカル『パンセ』前田陽一・由木康訳、中央公論新社、2018 年　他〕

▶ Walker, S., and P. Higgs, eds. *Cleopatra of Egypt: From History to Myth*. London: British Museum Press, 2001.

▶ Walker, S. "Cleopatra in Pompeii?" *Papers of the British School at Rome* 76 (2008): 35–46, 345–348.

## 5 ｜ 趙氏貞の乳房

▶ Dasen, V. "Pobaskania: Amulets and Magic in Antiquity." In *The Materiality of Magic*, edited by D. Boschung and J. N. Bremmer, 177–204. Cologne, Germany: Internationales Kolleg Morphomata, 2015.

▸ Gilbert, M. J. "When Heroism Is Not Enough: Three Women Warriors of Vietnam, Their Historians and World History." *World History Connected*, June 2007. https://worldhistoryconnected.press.uillinois.edu/4.3/gilbert.html.

▸ Johns, C. *Sex or Symbol? Erotic Images of Greece and Rome*. London: British Museum Press, 1982.

▸ Jones, D. E. *Women Warriors: A History*. London: Brassey's Military Books, 1997.

▸ Kim, T. T. *Việt Nam sử lược (A Brief History of Vietnam)*. Hanoi: Nhàxuất bản Văn Học, 2018.

▸ Le, P. H., ed. *Complete Annals of Great Viet*. Hanoi: Khoa học xã hội, 1998.

▸ Marr, D. G. *Vietnamese Tradition on Trial, 1920–1945*. Berkeley: University of California Press, 1984.

▸ Ngọc, H. Viet Nam: Tradition and Change. Athens, OH: Ohio University Press, 2016.

▸ Nguyễn, K. V. *Vietnam: A Long History*. Hanoi: Gioi Publishers, 2002.

▸ Silver, C. "Romans Used to Ward Off Sickness with Flying Penis Amulets." *Atlas Obscura*, December 28, 2016. https://www.atlasobscura.com/articles/romans-used-to-ward-off-sickness-with-flying-penis-amulets.

▸ Taylor, K. W. *The Birth of Vietnam*. Berkeley: University of California Press, 1983.

▸ Williams, C. A. *Roman Homosexuality: Ideologies of Masculinity in Classical Antiquity*. New York: City University of New York, 1999.

## 6 聖 人 カ ス バ ー ト の 爪

▸ Battiscombe, C. F. , ed. *The Relics of Saint Cuthbert*. Oxford: Oxford University Press, 1956.

▸ Bede. *The Life and Miracles of St. Cuthbert, Bishop of Lindesfarne* (721). https://sourcebooks.fordham.edu/basis/bede-cuthbert.asp.

▸ Biggs, S. J. "A Menagerie of Miracles: The Illustrated Life of St Cuthbert." *Medieval Manuscripts* blog, British Library, January 30, 2013. https://britishlibrary.typepad.co.uk/digitisedmanuscripts/2013/01/a-menagerie-of-miracles-the-illustrated-life-of-st-cuthbert.html.

▸ Boehm, B. D. "Relics and Reliquaries in Medieval Christianity." Department of Medieval Art and The Cloisters, The Metropolitan Museum of Art, 2011. https://www.metmuseum.org/toah/hd/relc/hd_relc.htm.

▸ Colgrave, B., ed. and trans. *Two Lives of Saint Cuthbert: A Life by an Anonymous Monk of Lindisfarne and Bede's Prose Life*. New York: Greenwood Press, 1969.

▸ Cronyn, J. M., and C. V. Horie. *St. Cuthbert's Coffin*. Durham, UK: Dean and Chapter of Durham Cathedral, 1985.

▸ Gayford, M. "Treasures of Heaven: Saints, Relics, and Devotion in Medieval Europe, British Museum." *The Telegraph*, June 10, 2011. https://www.telegraph.co.uk/culture/art/8565805/Treasures-of-Heaven-Saints-Relics-and-Devotion-in-Medieval-Europe-British-Museum.html.

▸ The Slaves of the Immaculate Heart of Mary. "The Finding of the Tongue of Saint Anthony of Padua (1263)." Catholicism.org, February 15, 2000. https://catholicism.org/the-finding-of-the-tongue-of-saint-anthony-of-padua-1263.html.

## 7 │ ショーク王妃の舌

▸ Munson, J., V. Amati, M. Collard, and M. J. Macri. "Classic Maya Bloodletting and the Cultural Evolution of Religious Rituals: Quantifying Patterns of Variation in Hieroglyphic Texts." *PLoS One*, September 25, 2014. https://doi.org/10.1371/journal.pone.0107982.

▸ Schele, L., and M. E. Miller. *Blood of Kings: Dynasty and Ritual in Maya Art*. New York: George Braziller, 1992.

▸ Steiger, K. R. *Crosses, Flowers, and Toads: Classic Maya Bloodletting Iconography in Yaxchilan Lintels 24, 25, and 26*. Provo, UT: Brigham Young University, 2010.

# 8 ｜ アル・マアッリーの目

▶ Bosker, M., E. Buringh, and J. L. van Zanden. "From Baghdad to London: Unraveling Urban Development in Europe, the Middle East, and North Africa, 800–1800." *The Review of Economics and Statistics* 95, no. 4 (2013): 1418–1437.

▶ Margoliouth, D. S. "Abu 'l-'Ala al-Ma'arri's Correspondence on Vegetarianism." *Journal of the Royal Asiatic Society* (1902): 289.

▶ Margoliouth, D. S. *Anecdota Oxoniensia: The Letters of Abu 'l-Ala of Ma'arrat*. Oxford, UK: Clarendon Press, 1898.

▶ Rihani, A. *The Luzumiyat of Abu'l-Ala: Selected from His Luzum ma la Yalzam*. New York: James T. White, 1920.

▶ "Syrian Poet Al-Ma'arri: Through the Lens of Disability Studies." Arablit.org, March 24, 2015. https://arablit.org/2015/03/24/syrian-poet-al-maarri-through-the-lens-of-disability-studies.

# 9 ｜ ティムール（タメルラン）の脚

▶ De Clavijo, G. *Embassy to Tamerlane*, 1403–1406. London: G. Routledge & Sons, 1928.

▶ Froggatt, P. "The Albinism of Timur, Zal, and Edward The Confessor." *Medical History* 6, no. 4 (1962): 328–342. doi: 10.1017/s0025727300027666.

▶ Gerasimoc, M. M. *The Face Finder*. London: Hutchinsons, 1971.

▶ Manz, B. F. *The Rise and Rule of Tamerlane*. Cambridge, UK: Cambridge University Press, 1989.

▶ Manz, B. F. "Tamerlane's Career and Its Uses." *Journal of World History* 13, no. 1 (2002): 1–25. http://www.jstor.org/stable/20078942.

▶ Quinn, S. A. "Notes on Timurid Legitimacy in Three Safavid Chronicles." *Iranian Studies* 31, no. 2 (2007): 149–158. doi: 10.1080/00210869808701902.

▸ Sela, R. *The Legendary Biographies of Tamerlane: Islam and Heroic Apocrypha in Central Asia*. New York: Cambridge University Press, 2011.

## 10 | リ チ ャ ー ド 3 世 の 背 中

▸ Appleby, J., et al. "The Scoliosis of Richard III, Last Plantagenet King of England: Diagnosis and Clinical Significance." *Lancet* 383, no. 9932 (2014): 19–44. https://doi.org/10.1016/S0140-6736(14)60762-5.

▸ Barras, C. "Teen Growth Spurt Left Richard III with Crooked Spine." *New Scientist*, May 29, 2014. https://www.newscientist.com/article/dn25651-teen-growth-spurt-left-richard-iii-with-crooked-spine.

▸ Chappell, B. "Richard III: Not the Hunchback We Thought He Was?" *The Two Way*, NPR.org, May 30, 2014. https://www.npr.org/sections/thetwo-way/2014/05/30/317363287/richard-iii-not-the-hunchback-we-thought-he-was.

▸ Cunningham, S. *Richard III: A Royal Enigma*. London: Bloomsbury Academic, 2003.

▸ Lund, M. A. "Richard's Back: Death, Scoliosis and Myth Making." *Medical Humanities* 41 (2015): 89–94.

▸ Metzler, I. *A Social History of Disability in the Middle Ages*. London: Routledge, 2013.

▸ More, T. *The History of King Richard the Thirde (1513), in Workes*. London: John Cawod, John Waly, and Richarde Tottell, 1557.

▸ Rainolde, R. *The Foundacion of Rhetorike*. London: Ihon Kingston, 1563.

▸ Rous, J. "Historia Regum Angliae (1486)." In *Richard III and His Early Historians, 1483–1535*, edited by T. Hearne. Oxford: Clarendon Press, 1975.

▸ Shakespeare, W. "2 Henry VI (1590–91)." In *The Riverside Shakespeare*, 2nd ed., edited by G. Blakemore Evans and J. J. M. Tobin. Boston: Houghton Mifflin, 1997.〔『シェイクスピア全集 19　ヘンリー六世　全三部』松岡和子訳、筑摩書房、2009 年　他〕

‣ Shakespeare, W. "3 Henry VI (1590–91)." In *The Riverside Shakespeare*, 2nd ed., edited by G. Blakemore Evans and J. J. M. Tobin. Boston: Houghton Mifflin, 1997.〔同上〕

‣ Shakespeare, W. "Richard III (1592-93)." In *The Riverside Shakespeare*, 2nd ed., edited by G. Blakemore Evans and J. J. M. Tobin. Boston: Houghton Mifflin, 1997.〔『シェイクスピア全集7 リチャード三世』松岡和子訳、筑摩書房、1999 年 他〕

‣ Vergil, P. *English History (1512–13)*. London: J. B. Nichols and Son, 1844.

## II │ マ ル テ ィ ン ・ ル タ ー の 腸

‣ BBC News. "Luther's Lavatory Thrills Experts." BBC News, October 22, 2004. http://news.bbc.co.uk/2/hi/europe/3944549.stm.

‣ Leppin, V. *Martin Luther: A Late Medieval Life*. Grand Rapids, MI: Baker Publishing Group, 2017.

‣ Munk, L. "A Little Shit of a Man." *The European Legacy* 5, no. 5 (2010): 725–727. doi: 10.1080/713665526.

‣ Oberman, H. "Teufelsdreck: Eschatology and Scatology in the 'Old' Luther." *The Sixteenth Century Journal* 19, no. 3 (1988): 435–450.

‣ Oberman, H. *Luther: Man Between God and the Devil*. New Haven, CT: Yale University Press, 1989.

‣ Roper, L. *Martin Luther: Renegade and Prophet*. New York: Random House, 2017.

‣ Rupp. E. G. "John Osborne and the Historical Luther." *The Expository Times* 73, no. 5 (1962): 147–151. doi:10.1177/001452466207300505.

‣ Simon, E. *Printed in Utopia: The Renaissance's Radicalism*. Ropley, UK: John Hunt Publishing, 2020.

‣ Skjelver, Danielle Meade. "German Hercules: The Impact of Scatology on the Image of Martin Luther as a Man, 1483-1546." University of Maryland University College. 1-54.

▸ Wetzel, A., ed. *Radicalism and Dissent in the World of Protestant Reform*. Göttingen: Vandenhoeck & Ruprecht, 2017.

## I2 ┃ アン・ブーリンの心臓

▸ Angell, C. *Heart Burial*. London: Allen and Unwin, 1933.

▸ Bagliani, A. P. "The Corpse in the Middle Ages: The Problem of the Division of the Body." In *The Medieval World*, edited by P. Linehan and J. L. Nelson, 328–330. New York: Routledge, 2001.

▸ Bain, F. E. *Dismemberment in the Medieval and Early Modern English Imaginary: The Performance of Difference*. Kalamazoo, MI: Medieval Institute Publications, 2020.

▸ Brown, E. A. R. "Death and the Human Body in the Late Middle Ages: The Legislation of Boniface VIII on the Division of the Corpse." *Viator* 12 (1981): 221–270.

▸ Foreman, A. "Burying the Body in One Place and the Heart in Another." *Wall Street Journal*, October 31, 2014. https://www.wsj.com/articles/burying-the-body-in-one-place-and-the-heart-in-another-1414779035.

▸ Meier, A. "Bury My Heart Apart from Me: The History of Heart Burial." *Atlas Obscura*, February 14, 2014. https://www.atlasobscura.com/articles/heart-burial.

▸ Park, K. "The Life of the Corpse: Division and Dissection in Late Medieval Europe." *Journal of the History of Medicine and Allied Sciences* 50, no. 1 (1995): 111–132. https://doi.org/10.1093/jhmas/50.1.111.

▸ Rebay-Salisbury, K., M. L. Stig Sorensen, and J. Hughes, eds. *Body Parts and Bodies Whole (Studies in Funerary Archaeology)*. Oxford, UK: Oxbow Books, 2010.

▸ Weiss-Krejci, E. "Restless Corpses: 'Secondary Burial' in the Babenberg and Habsburg Dynasties." *Antiquity* 75, no. 290 (2001): 769–780.

## 13 | チャールズ 1 世 と ク ロ ム ウ ェ ル の 頭

▸ Clymer, L. "Cromwell's Head and Milton's Hair: Corpse Theory in Spectacular Bodies of the Interregnum." *The Eighteenth Century* 40, no. 2 (1999): 91–112.

▸ Meyers, J. "Invitation to a Beheading." *Law and Literature* 25, no. 2 (2013): 268–285.

▸ Preston, P. S. "The Severed Head of Charles I of England Its Use as a Political Stimulus." *Winterthur Portfolio* 6 (1970): 1–13. https://www.journals.uchicago.edu/doi/abs/10.1086/495793?journalCode=wp.

▸ Sauer, E. "Milton and the Stage-Work of Charles I." *Prose Studies* 23, no. 1 (2008): 121–146. doi: 10.1080/01440350008586698.

▸ Skerpan-Wheeler, E. "The First 'Royal': Charles I as Celebrity." *Publications of the Modern Language Association of America* 126, no. 4 (2020): 912–934. doi: 10.1632/pmla.2011.126.4.912.

## 14 | カ ル ロ ス 2 世 の 顎

▸ Alvarez, G., et al. "The Role of Inbreeding in the Extinction of a European Royal Dynasty." *PloS One* 4, no. 4 (2009): e5174. doi: 10.1371/ journal.pone.0005174.

▸ Dominguez Ortiz, A. *The Golden Age of Spain, 1516–1659*. Oxford, UK: Oxford University Press, 1971.

▸ Edwards, J. *The Spain of the Catholic Monarchs*, 1474–1520. New York: Blackwell, 2000.

▸ Parker, G. *Emperor: A New Life of Charles V*. New Haven, CT: Yale University Press, 2019.

▸ Saplakoglu, Y. "Inbreeding Caused the Distinctive 'Habsburg Jaw' of 17th Century Royals That Ruled Europe." *Live Science*, December 2, 2019. https://www.livescience.com/habsburg-jaw-inbreeding.html.

▶ Thompson, E. M., and R. M. Winter. "Another Family with the 'Habsburg Jaw.'" *Journal of Medical Genetics* 25, no. 12 (1988): 838–842. doi: 10.1136/jmg.25.12.838.

▶ Thulin, L. "The Distinctive 'Habsburg Jaw' Was Likely the Result of the Royal Family's Inbreeding." *Smithsonian Magazine*, December 4, 2019. https://www.smithsonianmag.com/smart-news/distinctive-habsburg-jaw-was-likely-result-royal-familys-inbreeding-180973688.

▶ Yong, E. "How Inbreeding Killed Off a Line of kings." *National Geographic*, April 14, 2009. https://www.nationalgeographic.com/science/article/how-inbreeding-killed-off-a-line-of-kings.

## 15 │ ジョージ・ワシントンの（入れ）歯

▶ Coard, M. "George Washington's Teeth 'Yanked' from Slaves' Mouths." *The Philadelphia Tribune*, February 17, 2020. https://www.phillytrib.com/commentary/michaelcoard/coard-george-washington-s-teeth-yanked-from-slaves-mouths/article_27b78ce6-dace-563c-a170-34f02626d7e5.html.

▶ Dorr, L. "Presidential False Teeth: The Myth of George Washington's Dentures, Debunked." *Dental Products Report*, June 30, 2015. https://www.dentalproductsreport.com/view/presidential-false-teeth-myth-george-washingtons-dentures-debunked.

▶ Gehred, K. "Did George Washington's False Teeth Come from His Slaves?: A Look at the Evidence, the Responses to That Evidence, and the Limitations of History." *Washington Papers*, October 19, 2016. https://washingtonpapers.org/george-washingtons-false-teeth-come-slaves-look-evidence-responses-evidence-limitations-history.

▶ "George Washington and Teeth from Enslaved People." Washington Library. https://www.mountvernon.org/george-washington/health/washingtons-teeth/george-washington-and-slave-teeth.

▶ "History of Dentures - Invention of Dentures." History of Dentistry, 2021. http://www.historyofdentistry.net/dentistry-history/history-of-dentures.

▸ Thacker, B. "Disease in the Revolutionary War." Washington Library. https://www.mountvernon.org/library/digitalhistory/digital-encyclopedia/article/disease-in-the-revolutionary-war.

▸ Wiencek, H. *An Imperfect God: George Washington, His Slaves, and the Creation of America*. New York: Farrar, Straus and Giroux, 2004.

## 16 | ベ ネ デ ィ ク ト ・ ア ー ノ ル ド の 脚

▸ Brandt, C. *The Man in the Mirror: A Life of Benedict Arnold*. New York: Random House, 1994.

▸ Flexner, J. T. *The Traitor and the Spy: Benedict Arnold and John André*. New York: Harcourt Brace, 1953.

▸ Grant-Costa, P. "Benedict Arnold's Heroic Leg." *Yale Campus Press*, September 17, 2014. https://campuspress.yale.edu/yipp/benedict-arnolds-heroic-leg.

▸ Martin, J. K. *Benedict Arnold: Revolutionary Hero (An American Warrior Reconsidered)*. New York: New York University Press, 1997.

▸ Randall, W. S. *Benedict Arnold: Patriot and Traitor*. New York: William Morrow Inc., 1990.

▸ Seven, J. "Why Did Benedict Arnold Betray America?" *History*, July 17, 2018. https://www.history.com/news/why-did-benedict-arnold-betray-america.

## 17 | マ ラ ー の 皮 膚

▸ Conner, C. D. *Jean Paul Marat: Tribune of the French Revolution*. London: Pluto Press, 2012.

▸ Glover, M. "Great Works: The Death of Marat, by Jacques-Louis David (1793)." *The Independent*, January 3, 2014. https://www.independent.co.uk/arts-entertainment/art/great-works/great-works-death-marat-jacques-louis-david-1793-9035080.html.

▶ Gombrich, E. H. *The Story of Art*. Oxford, UK: Phaidon, 1978.〔エルンスト・H・ゴンブリッチ『美術の物語』天野衛 他訳、河出書房新社、2019 年〕

▶ Gottschalk, L. R. *Jean Paul Marat: A Study in Radicalism*. Chicago: The University of Chicago Press, 1967.

▶ Jelinek, J. E. "Jean-Paul Marat: The Differential Diagnosis of His Skin Disease." *The American Journal of Dermatopathology* 1, no. 3 (1979): 251–252.

▶ Schama, S., and J. Livesey. *Citizens: A Chronicle of the French Revolution*. London: Royal National Institute of the Blind, 2005.

## 18 バイロン卿の足

▶ Browne, D. "The Problem of Byron's Lameness." *Proceedings of the Royal Society of Medicine* 53, no. 6 (1960): 440–442. doi: 10.1177/003591576005300615.

▶ Buzwell, G. "Mary Shelley, *Frankenstein* and the Villa Diodati." *Discovering Literature: Romantics & Victorians*, May 15, 2014. https://www.bl.uk/romantics-and-victorians/articles/mary-shelley-frankenstein-and-the-villa-diodati#.

▶ Hernigou, P., et al. "History of Clubfoot Treatment, Part I: From Manipulation in Antiquity to Splint and Plaster in Renaissance Before Tenotomy." *International Orthopaedics* 41, no. 8 (2017): 1693–1704. doi: 10.1007/s00264-017-3487-1.

▶ MacCarthy, F. *Byron: Life and Legend*. London: John Murray, 2002.

▶ Marchand, L. A. *Byron: A Biography*. Volumes 1 and 2. New York: Knopf, 1957.

▶ Miller, D. S., and E. Davis. "Disabled Authors and Fictional Counterparts." *Clinical Orthopaedics and Related Research* 89 (1972): 76–93.

▶ Mole, T. "Lord Byron and the End of Fame." *International Journal of Cultural Studies* 11, no. 3 (2008): 343–361. https://doi.org/10.1177/1367877908092589.

| **19** | ハ リ エ ッ ト ・ タ ブ マ ン の 脳 |

▶ Bradford, S. H. *Scenes in the Life of Harriet Tubman*. Auburn, NY: W. J. Moses, 1869.

▶ Clinton, C. *Harriet Tubman: The Road to Freedom*. Boston: Back Bay Books, 2004.〔キャサリン・クリントン『自由への道：逃亡奴隷ハリエット・タブマンの生涯』廣瀬典生訳、晃洋書房、2019 年〕

▶ Hobson, J. "Of 'Sound' and 'Unsound' Body and Mind: Reconfiguring the Heroic Portrait of Harriet Tubman." *Frontiers: A Journal of Women Studies* 40, no. 2 (2019): 193–218. doi: 10.5250/fronjwomestud.40.2.0193.

▶ Humez, J. M. "In Search of Harriet Tubman's Spiritual Autobiography." *NWSA Journal* 5, no. 2 (1993): 162–182. http://www.jstor.org/stable/4316258.

▶ Oertel, K. T. *Harriet Tubman: Slavery, the Civil War, and Civil Rights in the 19th Century*. New York: Routledge, 2016.

▶ Sabourin, V. M., et al. "Head Injury in Heroes of the Civil War and Its Lasting Influence." *Neurosurgical Focus* 41, no. 1 (2016): E4. doi: 10.3171/2016.3.FOCUS1586.

▶ Seaberg, M., and D. Treffert. "Harriet Tubman an Acquired Savant, Says Rain Man's Doctor: Underground Railroad Heroine Had Profound Gifts After a Head Injury." *Psychology Today*, February 1, 2017.

| **20** | ベ ル 一 家 の 耳 |

▶ Booth, K. *The Invention of Miracles: Language, Power, and Alexander Graham Bell's Quest to End Deafness*. New York: Simon & Schuster, 2021.

▶ Bruce, R. V. *Bell: Alexander Graham Bell and the Conquest of Solitude*. Ithaca, NY: Cornell University Press, 1990.〔ロバート・V・ブルース『孤独の克服：グラハム・ベルの生涯』唐津一監訳、NTT 出版、1991 年〕

▸ Gorman, M. E., and W. B. Carlson. "Interpreting Invention as a Cognitive Process: The Case of Alexander Graham Bell, Thomas Edison, and the Telephone." *Science, Technology, & Human Values* 15, no. 2 (1990): 131–164. doi: 10.1177/016224399001500201.

▸ Gray, C. *Reluctant Genius: Alexander Graham Bell and the Passion for Invention*. Toronto: HarperCollins, 2007.

▸ Greenwald, B. H. "The Real 'Toll' of A. G. Bell." *Sign Language Studies* 9, no. 3 (2009): 258–265.

▸ Greenwald, B. H., and J. V. Van Cleve. "A Deaf Variety of the Human Race: Historical Memory, Alexander Graham Bell, and Eugenics." *The Journal of the Gilded Age and Progressive Era* 14, no. 1 (2015): 28–48.

▸ Mitchell, S. H. "The Haunting Influence of Alexander Graham Bell." *American Annals of the Deaf* 116, no. 3 (1971): 349–356. http://www.jstor.org/stable/44394260.

▸ "Signing, Alexander Graham Bell and the NAD." *Through Deaf Eyes*, PBS.org.

## 21 ウィルヘルム 2 世の腕

▸ Clark, C. *Kaiser Wilhelm II*. New York: Routledge, 2013.

▸ Hubbard, Z. S., et al. "Commentary: Brachial Plexus Injury and the Road to World War I." *Neurosurgery* 82, no. 5 (2018): E132–E135. doi: 10.1093/neuros/nyy034.

▸ Jacoby, M. G. "The Birth of Kaiser William II (1859–1941) and His Birth Injury." *Journal of Medical Biography* 16, no. 3 (2008): 178–183. doi: 10.1258/jmb.2007.007030.

▸ Jain, V., et al. "Kaiser Wilhelm Syndrome: Obstetric Trauma or Placental Insult in a Historical Case Mimicking Erb's Palsy." *Medical Hypotheses* 65, no. 1 (2005): 185–191. doi: 10.1016/j.mehy.2004.12.027.

▸ Kohut, T. A. *Wilhelm II and the Germans: A Study in Leadership*. Oxford, UK: Oxford University Press, 1991.

▶ Owen, J. "Kaiser Wilhelm II's Unnatural Love for His Mother 'Led to a Hatred of Britain.'" *The Independent*, November 16, 2013.

## 22 | メアリー・マローンの胆嚢

▶ Aronson, S. M. "The Civil Rights of Mary Mallon." *Rhode Island Medicine* 78 (1995): 311–312.

▶ Bourdain, A. *Typhoid Mary*. New York: Bloomsbury, 2001.

▶ Dowd, C. *The Irish and the Origins of American Popular Culture*. Oxfordshire, UK: Routledge, 2018.

▶ Leavitt, J. W. "'Typhoid Mary' Strikes Back: Bacteriological Theory and Practice in Early Twentieth-Century Public Health." *Isis* 83, no. 4 (1992): 608–629. http://www.jstor.org/stable/234261.

▶ Marinelli, F., et al. "Mary Mallon (1869–1938) and the History of Typhoid Fever." *Annals of Gastroenterology* 26, no. 2 (2013): 132–134.

▶ Soper, G. A. "The Curious Career of Typhoid Mary." *Bulletin of the New York Academy of Medicine* 15, no. 10 (1939): 698–712.

▶ Wald, P. "Cultures and Carriers: 'Typhoid Mary' and the Science of Social Control." *Social Text* no. 52/53 (1997): 181–214. doi: 10.2307/466739.

## 23 | レーニンの皮膚

▶ Fann, W. E. "Lenin's Embalmers." *The American Journal of Psychiatry* 156, no. 12 (1999): 2006–2007.

▶ Lophukhin, I. M. *Illness, Death, and the Embalming of V. I. Lenin: Truth and Myths*. Moscow: Republic, 1997.

▶ "Preserving Chairman Mao: Embalming a Body to Maintain a Legacy." *The Guardian*, September 11, 2016. https://www.theguardian.com/world/2016/sep/11/preserving-chairman-mao-embalming-a-body-to-maintain-a-legacy.

▶ Yegorov, O. "After Death Do Us Part: How Russian Embalmers Preserve Lenin and His 'Colleagues.'" *Russia Beyond*, November 16, 2017. https://www.rbth.com/history/326748-after-death-do-us-part-russian-art-of-embalming.

▶ Yurchak, A. "Bodies of Lenin: The Hidden Science of Communist Sovereignty." *Representations* 129 (2015): 116–157.

## 24 | 秋 瑾 の 足

▶ "1907: Qiu Jin, Chinese Feminist and Revolutionary." ExecutedToday.com, July 15, 2011. http://www.executedtoday.com/tag/chiu-chin.

▶ Hagedorn, L. S. and Y. Zhang (Leaf). "China's Progress Toward Gender Equity: From Bound Feet to Boundless Possibilities." PhD dissertation, Iowa State University, 2010.

▶ Hong, F., and J. A. Mangan. "A Martyr for Modernity: Qui Jin—Feminist, Warrior and Revolutionary." *The International Journal of the History of Sport* 18 (2001): 27–54.

▶ Keeling, R. "The Anti-Footbinding Movement, 1872–1922: A Cause for China Rather Than Chinese Women." *Footnotes* 1 (2008): 12–18.

▶ Wang, D. D-W. *A New Literary History of Modern China*. Cambridge, MA: Harvard University Press, 2017.

▶ Wang, P. *Aching for Beauty: Footbinding in China*. New York: Anchor Books, 2000.

▶ Zarrow, P. "He Zhen and Anarcho-Feminism in China." *The Journal of Asian Studies* 47, no. 4 (1988): 796–813.

## 25 | アインシュタインの脳

▶ Altman, L. K. "So, Is This Why Einstein Was So Brilliant?" *New York Times*, June 18, 1999.

▶ Arenn, C. F., et al. "From Brain Collections to Modern Brain Banks: A Historical Perspective." *Alzheimer's & Dementia: Translational Research & Clinical Interventions* 5 (2019): 52–60. https://www.ncbi.nlm.nih.gov/pmc/articles/PMC6365388.

▶ Burrell, B. *Postcards from the Brain Museum: The Improbable Search for Meaning in the Matter of Famous Minds*. New York: Broadway Books, 2005.

▶ Goff, J. "Mussolini's Mysterious Stay at St. Elizabeths." Boundary Stones, WETA.org, July 28, 2015. https://boundarystones.weta.org/2015/07/28/mussolini%E2%80%99s-mysterious-stay-st-elizabeths.

▶ Hughes, V. "The Tragic Story of How Einstein's Brain Was Stolen and Wasn't Even Special." *National Geographic*, April 21, 2014. https://www.nationalgeographic.com/science/article/the-tragic-story-of-how-einsteins-brain-was-stolen-and-wasnt-even-special#close.

▶ Kremer, W. "The Strange Afterlife of Einstein's Brain." BBC, April 18, 2015. https://www.bbc.com/news/magazine-32354300.

▶ Lepore, F. E. *Finding Einstein's Brain*. New Brunswick, NJ: Rutgers University Press, 2018.

▶ Levy, S. "My Search for Einstein's Brain." *New Jersey Monthly*, August 1, 1978. https://njmonthly.com/articles/historic-jersey/the-search-for-einsteins-brain.

▶ Murray, S. "Who Stole Einstein's Brain?" *MD Magazine*, April 9, 2019. https://www.hcplive.com/view/who-stole-einsteins-brain.

## 26 ｜ フ リ ー ダ ・ カ ー ロ の 脊 柱

▶ Courtney, C. A. "Frida Kahlo's Life of Chronic Pain." Oxford University Press Blog, January 23, 2017. https://blog.oup.com/2017/01/frida-kahlos-life-of-chronic-pain.

▶ Frida Kahlo Foundation. "Frida Kahlo: Biography." www.frida-kahlo-foundation.org.

▸ Fulleylove, R. "Exploring Frida Kahlo's Relationship with Her Body." Google Arts & Culture. https://artsandculture.google.com/story/EQICSfueb1ivJQ?hl=en.

▸ Herrera, H. *Frida: A Biography of Frida Kahlo*. New York: Harper Perennial, 2002.〔ヘイデン・エレーラ『フリーダ・カーロ：生涯と芸術』野田隆・有馬郁子訳、晶文社、1988 年〕

▸ Luiselli, V. "Frida Kahlo and the Birth of Fridolatry." *The Guardian*, June 11, 2018. https://www.theguardian.com/artanddesign/2018/jun/11/frida-kahlo-fridolatry-artist-myth.

▸ Olds, D. "Frida Isn't Free: The Murky Waters of Creating Crafts with Frida Kahlo's Image and Name." Craft Industry Alliance, October 22, 2019. https://craftindustryalliance.org/frida-isnt-free-the-murky-waters-of-creating-crafts-with-frida-kahlos-image-and-name.

▸ Rosenthal, M. *Diego and Frida: High Drama in Detroit*. Detroit, MI: Detroit Institute of Arts, 2015.

▸ Salisbury, L. W. "Rolling Over in Her Grave: Frida Kahlo's Trademarks and Commodified Legacy." Center for Art Law, August 2, 2019. https://itsartlaw.org/2019/08/02/rolling-over-in-her-grave-frida-kahlos-trademarks-and-commodified-legacy.

▸ Sola-Santiago, F. "Cringeworthy 1932 Newspaper Clip Called Frida Kahlo 'Wife of the Master Mural Painter' Diego Rivera." Remezcla, August 15, 2018. https://remezcla.com/culture/1932-newspaper-clip-called-frida-kahlo-wife-of-the-master-mural-painter-diego-rivera.

## 27 ｜ アラン・シェパードの膀胱

▸ Best, S. L., and K. A. Maciolek. "How Do Astronauts Urinate?" *Urology* 128 (2019): 9–13.

▸ Brueck, H. "From Peeing in a 'Roll-on Cuff' to Pooping into a Bag: A Brief History of How Astronauts Have Gone to the Bathroom in Space for 58 Years." *Business Insider*, July 17, 2019. https://www.businessinsider.com/how-nasa-astronauts-pee-and-poop-in-space-2018-8.

▸ Hollins, H. "Forgotten Hardware: How to Urinate in a Spacesuit." *Advances in Physiology Education* 37 (2013): 123–128.

▸ Maksel, R. "In the Museum: Toilet Training." *Air and Space Magazine*, September 2009.

▸ Thornton, W., H. Whitmore, and W. Lofland. "An Improved Waste Collection System for Space Flight." SAE Technical Paper, 861014, July 14, 1986. https://doi.org/10.4271/861014.

## 謝　辞

　本書はわたしたちがぜひとも書きたいと願い、多くの人たちの助けや支えがあって生まれたものだ。もちろん、それぞれの家族（アレックス、ローレン、マイケル、ランディ、スライ、イヴォンヌ）にもお礼を言わなければならない。夕食のテーブルで、人間の内臓や手足やそのほかの体の部位について何度も話題にするのを我慢して聞いてくれたのだから（ねえ、知ってた？　胆嚢というのは細菌が棲みつくとね……）。

　次の人たちに感謝を捧げたい。すばらしい編集者であるベッカ・ハントは、本書のことをとてもよく理解し、驚くほどなめらかに編集してくれた。装幀家ジェイコブ・コヴィーのデザインは、わたしたちが想像した以上だった。センシティビティーリーダー［出版前に、特定の人を傷つけたり攻撃したりする表現がないかをチェックする］であるドミニク・リアからのアイデアや提案は実に的確だった。コピーエディターのミカイラ・ブッチャートは、文章を見事に整えてくれた。眼力の鋭い校正者カレン・レヴィ、そしてしっかり支えてくれたクロニクル・ブックス社のみなさんにもお礼を言いたい。エージェントのアンドレア・ソンバーグにも感謝を。そして、アンドレアの産休中にこのプロジェクトを引き受けてくれたウェンディー・レビンソンにも特別な感謝を捧げる。ウェンディーはチアリーディングでわたしたちを励まし、クロニクル・ブックス社から本書を出版できるようにしてくれた。

　みなさんがいなかったら、この作品の本文に謝辞を付け足すこともできなかったはずだ。

著　者

キャスリン・ペトラス
ロス・ペトラス
Kathryn Petras & Ross Petras

ニューヨーク・タイムズ紙のベストセラー『You're Saying
It Wrong（その言い方、間違ってます）』や『That
Doesn't Mean What You Think It Means（それって、
あなたが考えてる意味じゃない）』など、言葉をテーマに
した数多くのユーモアあふれる本を兄妹の共著で発表
してきた。著書の累計販売部数は530万部を超え、邦訳
には『問題な英語　この英語の「間違い」わかりますか?』
（イーストプレス）がある。引用句を集めたユーモア満載
の日めくりカレンダー『The 365 Stupidest Things Ever
Said（史上最もまぬけな365のセリフ）』は26年間売れ続
け、現在までに490万部を売り上げている。

訳　者

向井和美
Kazumi Mukai

翻訳家。早稲田大学第一文学部卒業。訳書に『プリズ
ン・ブック・クラブ』『アウシュヴィッツの歯科医』（以上、紀
伊國屋書店）、『哲学の女王たち』（晶文社）、『アイスラン
ド 海の女の人類学』（青土社）他多数。著書に『読書会
という幸福』（岩波書店）がある。

# 人体ヒストリア
## その「体」が歴史を変えた

2023年8月21日　第1版1刷

| | |
|---|---|
| 著者 | キャスリン・ペトラス　ロス・ペトラス |
| 訳者 | 向井和美 |
| 編集 | 尾崎憲和　川端麻里子　小林恵 |
| 装丁 | 小口翔平＋後藤司＋畑中茜（tobufune） |
| 発行者 | 滝山晋 |
| 発行 | 株式会社日経ナショナル ジオグラフィック |
| | 〒105-8308 東京都港区虎ノ門4-3-12 |
| 発売 | 株式会社日経BPマーケティング |
| 印刷・製本 | 中央精版印刷 |

ISBN978-4-86313-564-2
Printed in Japan

Japanese text ©2023 Kazumi Mukai